4-28

BIBLIOTECA DEL PENSAMIENTO ACTUAL

DIRIGIDA POR RAFAEL CALVO SERER

1. ROMANO GUARDINI: *El mesianismo en el mito, la revelación y la política.* (Segunda edición.) Prólogo de ALVARO D'ORS y nota preliminar de RAFAEL CALVO SERER.

2. THEODOR HAECKER: *La Joroba de Kierkegaard.* (Segunda edición.) Con un estudio preliminar de RAMÓN ROQUER y nota biográfica sobre Haecker de RICHARD SEEWALD.

3. VICENTE PALACIO ATARD: *Derrota, agotamiento, decadencia en la España del siglo XVII.* (Segunda edición.)

4. RAFAEL CALVO SERER: *España, sin problema.* (Tercera edición.) Premio Nacional de Literatura 1949.

5. FEDERICO SUÁREZ: *La crisis política del Antiguo Régimen en España (1800-1840).* (Segunda edición.)

6. ETIENNE GILSON: *El realismo metódico.* (Segunda edición.) Estudio preliminar de LEOPOLDO EULOGIO PALACIOS.

7. JORGE VIGÓN: *El espíritu militar español. Réplica a Alfredo de Vigny.* (Segunda edición.) Premio Nacional de Literatura 1950.

8. JOSÉ MARÍA GARCÍA ESCUDERO: *De Cánovas a la República.* (Segunda edición aumentada.)

9. JUAN JOSÉ LÓPEZ-IBOR: *El español y su complejo de inferioridad.* (Sexta edición.)

10. LEOPOLDO EULOGIO PALACIOS: *El mito de la nueva Cristiandad.* (Tercera edición.)

11. ROMÁN PERPIÑÁ: *De estructura económica y economía hispana.* Estudio final de ENRIQUE FUENTES QUINTANA.

12. JOSÉ MARÍA VALVERDE: *Estudios sobre la palabra poética.* (Segunda edición).

13. CARL SCHMITT: *Interpretación europea de Donoso Cortés.* (Segunda edición.) Prólogo de ANGEL LÓPEZ-AMO.

14. DUQUE DE MAURA: *La crisis de Europa.*

BIBLIOTECA DEL PENSAMIENTO ACTUAL

1. *La pedagogía contemporánea* (tercera edición, corregida y aumentada), por EMILL PLANCHARD, Profesor de la Universidad de Coimbra. Traducción y adaptación por VÍCTOR GARCÍA HOZ, Catedrático de Pedagogía en la Universidad de Madrid.

2. *Geografía General, Física y Humana* (tercera edición), por ANDRÉ ALLIX, Rector de la Universidad de Lyon. Traducción y adaptación por JOSÉ MANUEL CASAS TORRES, Catedrático de Geografía en la Universidad de Zaragoza.

3. *Fundamentos de Filosofía* (tercera edición), por ANTONIO MILLÁN PUELLES, Catedrático de Filosofía en la Universidad de Madrid.

4. *Fundamentos de política económica*, por WALTER EUCKEN. Traducción de JOSÉ LUIS GÓMEZ DELMAS.

5. *Teología Dogmática*, por MICHAEL SCHMAUS. Tomo I: *La Trinidad de Dios*. Tomo II: *Dios Creador* (segunda edición). Tomo III: *Dios Redentor* (segunda edición). Tomo IV: *La Iglesia* (segunda edición). Tomo V: *La gracia divina* (segunda edición). Tomo VI: *Los Sacramentos*. Tomo VII: *Los Novísimos*. Tomo VIII: *La Virgen María*.

6. *Geografía de las grandes potencias*, por A. MEYNIER, A. PERPILLOU, L. FRANÇOIS y R. MANGIN. Edición al cuidado de JOSÉ MANUEL CASAS TORRES.

7. *Principios de Teología Moral*, por ANTONIO LANZA y PIETRO PALAZZINI. Tomo I: *Moral general*. Tomo II: *Las virtudes*. Tomo III: *Sacramentos y vida sacramental*.

8. *Historia de la Iglesia*, por ALBERT EHRHARD y WILHELM NEUSS. Tomo I: *La Iglesia primitiva*. Tomo II: *Las Iglesias griega y latina*. Tomo III: *La Iglesia en la Edad Media*. Tomo IV: *La Iglesia en la Edad Moderna y en la actualidad*.

9. *Historia económica mundial*, por V. VÁZQUEZ DE PRADA, Catedrático de la Universidad de Barcelona. Tomo I: *De los orígenes a la Revolución Industrial*. Tomo II: *De la Revolución Industrial a la actualidad*.

GONZALO FERNANDEZ DE LA MORA

ORTEGA Y EL 98

Segunda edición ampliada

Ediciones Rialp, S. A.
Madrid, 1963

© 1962 *by* EDICIONES RIALP, S. A.
Preciados, 44.—MADRID

Depósito legal: M. 15.832-1962   Número de registro: 574-61

GRAFICAS BENZAL.—VIRTUDES, 7.—MADRID

PROLOGOS

A LA PRIMERA EDICION

En estas páginas de historia crítica del espíritu —Geistesgeschichte— los juicios de valor ocupan casi tanto lugar como la síntesis expositiva. A la vera de la escueta interpretación van quedando, tácitas o expresas, algunas tesis que responden a cuestiones de cierta radicalidad. Creo que mi narración de ajenas aventuras mentales es objetiva; pero el modo de enjuiciarlas depende de algo subjetivo y previo: una tabla axiológica y, en ocasiones, una concepción del mundo. Sólo cuando se cree que cualquier sistema es relativa o transitoriamente cierto, se puede hacer lo que debería llamarse historia perpleja del espíritu, es decir, sin crítica y, por consiguiente, sin cabal toma de posición ideológica. Yo estoy convencido de la difícil asequibilidad de la verdad; pero también de su existencia. Por eso no concibo otro diálogo intelectual que el que permite, además de referir, afirmar y negar.

Los dos temas capitales de este libro, excepcionalmente vivos en nuestra desanimada república literaria, tienen una relación tan reconocida como fraterna. No se puede entender plenamente el significado histórico de Ortega y Gasset, que no fue un noventayochista, sin contrastarlo con el espíritu del 98; y éste no cobra toda su profundidad si se desoye su más eximia y estentórea resonancia: la peripecia orteguiana. Por eso es fecundo analizarlos conjuntamente. Además, reunidos, nos brindan los más acusados rasgos de una cara de la vida espiritual hispana contemporánea. Para iluminar la otra habría que estudiar a Menéndez y Pelayo y al espíritu de 1936, que definieron de modo eminente el Maeztu maduro —doctor y mártir—y sus compañeros de Acción Española. *Confío en que la Providencia me depare un paréntesis de ocio para acometer, com-*

*pendiosamente también, esta empresa menos arris-
cada por más familiar y próxima.*

Las fuentes para el estudio del espíritu noventayochista son los escritos del tiempo y, principalmente, los de Ganivet y los juveniles de Unamuno,
Azorín, Baroja y Maeztu. Salvo los de pura creación, todos suelen ser glosas aisladas, reiterativas
y difusas, «divagaciones apasionadas», como tituló
Baroja una de sus colecciones de ensayos. Y,
aunque en otro plano, algo similar ocurre con
gran parte de la obra orteguiana. Nos encontramos,
pues, ante dos temas muy menesterosos de sistematización y concentración. Todo lo que sea abor-
darlos con métodos masoréticos y mentalidad de
glosador equivale a elevar al cuadrado su deficien-
cia vertebral. Ni los textos noventayochistas ni los
de Ortega reclaman, como los aristotélicos, el co-
mentario y el desarrollo multiplicador, sino la
quinta esencia y la extracción de raíces. Lo que
exigen no es la acumulación de farragosos volúmenes para disolver todavía más su claro y copioso
caudal, sino un denodado esfuerzo de síntesis para
destilar centenares de páginas en una cuartilla
esencial. Por eso considero radicalmente equivoca-

do, y hasta pedagógicamente delictivo, cualquier estudio de estos temas que, como uno que se acaba de iniciar sobre Ortega, amenace con alcanzar una superficie de letra impresa casi tan vasta como la obra del maestro. La cultura, salvo la del arroz, no ha consistido nunca en anegar.

Fiel a esta consigna de suma, he procurado constreñirme a la enjundia, depurar las nociones, eliminar lo superfluo, no aducir más citas que las medulares, limitar la exégesis al mínimo y huir de la repetición, las variaciones y el escolio, sacrificando así a la concisión, con pena muchas veces, cuanto no fuese imprescindible para el trazado de las grandes líneas estructurales. De ahí que la única virtud que no se puede negar rotundamente a este pequeño libro sobre dos temas de evidente magnitud y nobleza, sea la que ha requerido mayor tensión y tiempo: la brevedad. Quizá por ello sea acreedor a la más difícil gracia literaria que cabe pretender de nuestra angustiada época: la lectura sin demasiada prisa.

Madrid, mayo de 1960.

Yo no pensaba que este libro pudiera agotarse en sólo unos meses. La noticia me sorprende muy lejos de mi fichero y de mi biblioteca, en la soledad de mi refugio ateniense, al pie de una colina calva y rojiza que tiene un nombre de vieja y nutricia raíz helénica: Psiquicó. Por un gran ventanal sobre el naciente veo el Himeto, en cuya joroba azul empiezan a florecer unas diminutas y silvestres orquídeas, estremecidas de abejas líricas. Muy al sur, adivinados bajo el caliginoso respiro de la urbe, los altivos mármoles acropolitanos color de miel. Y, al fondo, la bahía del Falero, empalidecida por la luz. Después de meses de andanzas y lecturas helénicas, entre ruinas oxidadas y punzantes evocaciones, entregado al sortilegio de estas coordenadas sacras, tengo que hacer un no pequeño esfuerzo para, saltando miles de años y de leguas, concentrarme de nuevo sobre la problemática espiritual de España en la transición del siglo XIX al XX.

En mi ejemplar de este libro sobre Ortega y el 98, he ido haciendo fugaces anotaciones manuscritas, sugeridas por una serie de coloquios en Universidades y Colegios Mayores, y por casi un centenar de críticas y reseñas llegadas a mis manos. Muchas de tales notas las he incorporado a esta segunda edición, en la que añado algún dato probatorio, introduzco de cuando en cuando aclaraciones siempre sucintas y, excepcionalmente, incluyo un apartado nuevo. Estos complementos apenas totalizan una veintena de páginas con medio centenar de referencias. El carácter meditadamente esquemático de este ensayo hace inviable toda refundición y, además, me consta que ha sido su grado de concentración lo que le ha hecho ganar más lectores. Por eso he desechado sin titubeos la tentación de dar pleno desarrollo a mis tesis y hacer una obra nueva y más extensa. En esta su segunda edición ampliada, el libro sigue siendo sustancialmente el mismo.

Quiero expresar públicamente mi agradecimiento al Jurado benévolo que ha discernido a estas páginas el Premio Nacional de Ensayo, y a los numerosos escritores, algunos venerados maestros míos, como A. Millán Puelles, que las han glosado en las publicaciones periódicas.

Declaro, finalmente, que en este texto ampliado he extremado todavía más, si cabe, mi propósito de ser sincero, exacto, justo y veraz. Y por si llegase algún día la tercera edición, pido a todos mis lectores consejo para depurarla de errores en la opinión, la noticia o el estilo.

Atenas, abril de 1962.

I. EL ESPIRITU DEL 98

I. INTRODUCCION

En el año 1898 España pierde sus últimas colonias, y retorna humillada a sus fronteras metropolitanas de fines del cuatrocientos. Un espléndido renacimiento literario coincide con el desastre militar, y la lengua castellana alcanza una de sus horas cenitales. Un espíritu nuevo anima a la joven minoría escritora, e influye decisivamente en la vida intelectual de la primera mitad hispana del siglo xx. Esta triple faz—política, literaria e ideológica—del 98, lo convierte en un hito de la historia española contemporánea, y en el inmediato punto de arranque del tiempo que nos ha tocado vivir.

La importancia histórica del 98, la insigne brillantez de sus valores estéticos y la tumultuosa agitación intelectual provocada por su ideología, justifican la sostenida atención que viene despertando en los estudiosos. La bibliografía sobre el tema es abundantísima y suministra un denso y copioso caudal de noticias y valoraciones. Todavía carecemos, sin embargo, de ediciones completas de algunos escritores del tiempo tan relevantes como Unamuno y Maeztu, faltan biografías críticas de las figuras más destacadas, y las innumerables fuentes de la historia política y, singularmente, de la social y económica, no han sido ni bien explotadas ni exhumadas de modo sistemático.

Pero lo grave no es que el tema esté aún menesteroso de investigaciones monográficas, sino, principalmente, que requiere un replanteamiento fundamental. Es preciso distinguir, en primer lugar, entre lo literario y lo conceptual, porque, aunque íntimamente abrazados, una cosa son el idioma y el estilo, y otra el pensamiento y el método. Muchas exaltaciones ingenuas del 98 arrancan de un malentendido lamentable: la confusión entre lo formal y lo doctrinal, lo estético y lo afirmativo. La belleza literaria es sólo un aspecto del 98, sin duda el más feliz; pero no el único, ni siquiera el más importante históricamente.

En segundo lugar, hay que aplicar al estudio del 98, que es un momento de la vida española, una técnica completamente distinta de la biográfica, que es la que requieren los personajes concretos. Tampoco sirve esa especie de biografismo comparado o método de las generaciones, que ha malogrado tantos esfuerzos meritorios. Porque un tiempo es algo diferente de los hombres que lo han vivido, y éstos, a su vez, ya porque lo rebasan y olvidan, ya porque se vuelven contra él, son también distintos de cada uno de los tiempos que han atravesado. Una rectificación es trascendental en la trayectoria vital de un egregio; pero puede ser irrelevante para la comprensión de su época. Hay que enfocar los problemas del 98 con una lente menos deformadora que la generacional.

Se impone, en fin, un verdadero espíritu crítico que no caiga ni en la apasionada identificación con una de las banderías historiadas, ni en la incomprensión cerril de los móviles y de las decisiones. Ni la apología, ni la diatriba. De uno u otro defecto adolece la mayoría de lo escrito sobre la cuestión, siendo además bastantes los que, por desgracia, han aderezado a su antojo y utilizado para sus pequeñas guerrillas personales los prestigios literarios del 98. Así se han acrecentado la tensión y la confusión en torno a un tema por naturaleza polémico y complejo.

Para deslindar los distintos planos, para explicar ciertos enigmas históricos, para no interferir el curso de las vidas individuales y para soslayar la peligrosa tentación de la simpatía o de la antipatía hacia los protagonistas, utilizo un método que, no por clásico y archiprobado, deja de ser innovador en esta conyuntura. Intento captar no una serie de parecidos insignes, sino el *espíritu del tiempo,* lo cual limita el campo operatorio, y, sin embargo, amplía el horizonte y deja en plena libertad a los personajes eminentes, como tentadoras e intactas presas para los biógrafos. *Noventayochista* es una noción instrumental y previa, que, en principio, tiene una significación

cronológica, y que sólo se esclarece plenamente
dentro del contexto total. Se es noventayochista,
en la medida y durante el tiempo en que se participa de ese espíritu del 98 a cuya captación se
encaminan las páginas que siguen.

Trato de aplicar sin excepciones una tabla de
valoración fija, coherente y clara, y en su virtud
se aplaude sin reservas o se censura sin aspavien-
tos, según los hechos. Creo que el 98 es un tema
lo suficientemente importante como para exigir
una opinión sincera, libre de prejuicios encomiás-
ticos o detractores. Los millares de estudiosos que
no llegarán nunca a leer la ingente masa de los
testimonios y de los escritos noventayochistas,
hace tiempo que merecen una visión breve y sistemática de uno de los momentos más interesantes y críticos de nuestro inmediato pasado. Pensando en ellos, pretendo quintaesenciar en estas
páginas algunos años de gozosa o resignada lectura de las fuentes, con el temerario propósito de
agotarlas y de elaborarlas. Deseo, muy de verdad, que esta reconstrucción esquemática de uno
de los tiempos más vivaces y decisivos de ia
vida espiritual de la España contemporánea,

pueda servir de guía a través de esa fronda selvática que es la literatura noventayochista y contribuya a desviar a futuros exploradores de algún sendero sin salida.

II. EL TEMA Y EL METODO

1. El Desastre

La voluntad norteamericana de expansión en las Antillas es clara e ininterrumpida durante todo el siglo XIX. Ya el 28 de abril de 1823, decía el Secretario de Estado norteamericano a su representante en Madrid: «La anexión de Cuba a nuestra República Federal será indispensable para la continuidad e integridad de la Unión misma.» En 1848 la Unión ofreció quinientos millones de pesetas por la Isla, y en 1852 se negó a suscribir con Francia e Inglaterra un convenio de renuncia a la posesión de Cuba [1]. Desde entonces toda subversión

---

[1] Duque de Tetuán, *Defensa de la gestión diplomática del gobierno liberal-conservador,* Madrid, 1902, vol. I, páginas 12 y 15.

insular encuentra más o menos clandestino apoyo en la gran república del norte de América.

A partir de la nota del Secretario de Estado Sherman de 26 de julio de 1897, los Estados Unidos, cuidándose ya poco de las formas, no cesaron de incrementar la dosis intervencionista de su política en Cuba. La nota del embajador en Madrid, Woodford, de 23 de septiembre, y la gestión del enviado personal del presidente Mac Kinley ante la reina María Cristina ofreciendo la compra de la Isla, no fueron sino los pasos que prepararon el ominoso ultimátum del 18 de abril de 1898. Cinco días después la escuadra norteamericana iniciaba las hostilidades, es decir, la inicua agresión. Aniquilada la armada española en Cavite el primero de mayo, y, en Santiago el 3 de julio, Montero Ríos, tan vencido como los náufragos de aquellas patéticas gestas, firmaba el 10 de diciembre el Tratado de París, por el que perdíamos Cuba, Puerto Rico y Filipinas. La realidad histórica de este desastre ha sufrido durante medio siglo una sistemática deformación en las apasionadas plumas no de historiadores, sino de protagonistas—fiscales unos, defensores otros—, víctimas y usufructuarios. El masoquismo de los regeneracionistas empeñados en descubrir lacras y amplificar adversidades, y el gesto de crítica y distante repulsa con que los escritores noventayochistas pretendieron ponerse a salvo de las responsabilidades, consumaron la desfiguración de los hechos. Trabajosamente la crítica histórica empieza a reconstruir la vera efigie del 98.

Cuba era para España «suelo patrio... tierra que no se vende, ni se compra, ni se hipoteca, ni se da» [2]. Para los Estados Unidos, en cambio, era una simple posición estratégica que se habían propuesto adquirir al mejor precio posible. Con este planteamiento no cabía fórmula de compromiso. Pero la guerra implicaba necesariamente nuestra derrota, porque la desigualdad militar era palmaria y ningún esfuerzo de rearme, por titánico que fuera, habría podido equilibrar la potencia bélica de España con la de la grande y joven República. Lo sabían el Gobierno y los altos jefes del Ejército y de la Armada que, cuando sonó

---

[2] PABÓN, Jesús, *El 98, acontecimiento internacional*, Madrid, 1952, pág. 92.

la hora implacable, lucharon sin esperanza, sólo por el decoro nacional y para satisfacer el sentido de la dignidad de un pueblo ciegamente enardecido. «No soy de los que alardean—llegó a declarar el ministro de la Guerra ante el Congreso, el 4 de mayo de 1898—de seguridades en el éxito, caso de romperse las hostilidades; pero soy de los que creen que, de dos males, este es el mejor. El peor sería el conflicto que surgiría en España si nuestro honor y nuestros derechos fueran atropellados» [3]. Todavía desde Cartagena informaba el almirante Cervera el 16 de mayo de 1898: «No podemos ir a la guerra sin caminar a un desastre seguro y horroroso» [4]. Y su telegrama al zarpar de Cabo Verde rumbo a las Antillas, dos meses antes de la derrota de Santiago de Cuba, es estremecedor: «Con la conciencia tranquila voy al sacrificio» [5]. Cuando estalló el conflicto, la tropa derrochó heroísmo

---

[3] *Diario de Sesiones*, 4 de mayo de 1898.

[4] CERVERA Y TOPETE, Pascual, *Colección de documentos referentes a la Escuadra de operaciones de las Antillas*, El Ferrol, 1899, pág. 47. Vid. *Correspondencia oficial de las operaciones navales*, Madrid, 1899.

[5] CERVERA, *Op. cit.*, pág. 83.

y sus jefes hicieron milagros. Los testimonios, todavía hoy, arrancan lágrimas. La derrota fue una consecuencia necesaria de nuestra insuperable inferioridad material [6].

La única política eficaz hubiera sido evitar la guerra, es decir, eliminar todo pretexto para la buscada intervención estadounidense. Sólo había dos salidas: o la pronta pacificación militar, que era la fórmula conservadora de Cánovas, o las concesiones autonómicas para aplacar las exigencias norteamericanas, método que preconizaba Sagasta. El asesinato de Cánovas por el anarquista Angiolillo, instigado precisamente por los rebeldes cubanos, dio el poder al partido liberal, que no sólo descuidó la preparación militar, sino que además aplicó en las colonias la política de la debilidad y de las concesiones, la que recomendaban los Estados Unidos y, en el fondo, la que convenía a los insurrectos. Los hechos demostraron que por este camino nada se iba a salvar y se

---

[6] Véanse los convincentes cuadros comparativos de la capacidad bélica de las flotas americana y española en SAAVEDRA, Carlos, *Algunas observaciones sobre los desastres de la marina española,* El Ferrol, 1889, págs. 40 y ss.

perdería todo menos el honor. ¿Hubiera sido distinto el desenlace con Cánovas? Después de haber meditado largamente sobre los acontecimientos y los propósitos, he llegado a la convicción de que muy probablemente, aquel hombre de cualidades excepcionales ahora plena y autorizadamente rehabilitado, que era el general Weyler, respaldado incondicionalmente por un Gobierno conservador, hubiera pacificado la Isla eliminando el gran pretexto para la intervención americana. Y Cuba no se habría perdido el año 1898. Si hubo algún responsable inmediato del Desastre ese fue el gobierno liberal de Sagasta, y no por incapacidad o traición, sino a causa de una opción básica entre dos fórmulas posibles, por haber preferido las concesiones autonómicas a la pacificación militar, el indeciso Blanco al férreo Weyler. En cambio, en la hora decisiva—31 de marzo de 1898—no quiso aceptar la mediación del presidente Mac-Kinley en la guerra. Por añadidura, los errores e imprevisiones de aquel malhadado Gabinete, fueron, desde el punto de vista militar, tan injustificables como graves. Así lo puso de manifiesto el duque de Tetuán en su *Defensa*, antes citada, testimonio verdaderamente indispensable para juzgar documentadamente los acontecimientos noventayochistas. Los liberales, como es habitual en las izquierdas, fueron débiles siempre, salvo cuando ya era tarde. Es muy probable que los conservadores hubieran actuado inversamente: con dureza mientras ello no ocasionara riesgos irreparables y con flexible realismo en las dolorosas vísperas de una guerra perdida de antemano.

El año 1898 es un brusco punto de inflexión en nuestra trayectoria histórica. España causa baja definitiva en la lista de las grandes potencias, y la nación se ensimisma y angustia. Cambian entonces el estado de ánimo, la postura vital, las inquietudes, los hábitos, las creencias y los ideales de la minoría escritora. Y, en un ambiente propicio, la nueva actitud repercute tan ancha y profundamente que se convierte en la más llamativa de la época, y ocupa el primer plano del escenario intelectual del tiempo. Este hecho es tan injusto como evidente. Salvo Maeztu [7] y Cajal, ninguno de los grandes escritores noventayochistas

---

[7] Sirvió en Baleares. Vid. RIBER, Lorenzo, *Mallorca y Maeztu* en *ABC*, 13-III-1949.

había empuñado las armas para defender el honor y evitar la derrota; alguno, como Unamuno [8], porque no estaba en estricta edad militar; otros, como Baroja [9], por falta de espíritu cívico. Durante las semanas trágicas, Valle-Inclán representaba el papel de poeta bohemio de la benaventina *Comedia de las fieras* sobre la escena del madrileño teatro de la Comedia [10]. Los más significativos eran, aunque a beneficio de inventario, herederos de la izquierda decimonona—la de Moret y Sagasta—, políticamente responsable del Desastre. Ni moral, ni social, ni culturalmente simbolizaban al pueblo

[8] «El día mismo del desastre de la escuadra de Cervera hallábame yo—escribe Unamuno—acordonado desde hacía días para no recibir diarios, en una dehesa» *(Obras Completas,* Madrid, 1951, y ss. vol. IV, pág. 432).

[9] «Usted—escribe Ramón y Cajal a Baroja—no es español. Con un cinismo repugnante trató usted de eludir el servicio militar, mientras los demás nos batimos en Cataluña, fuimos a Cuba, enfermamos en la manigua, caímos en la caquexia palúdica y fuimos repatriados por inutilizados en campaña» (citado por J. ENTRAMBASAGUAS en su *Introducción* a *Las mejores novelas contemporáneas.* Barcelona, 1957 volumen I, página LI). Vid. BAROJA, *Obras Completas.* Madrid, 1948 y ss. vol. V, pág. 198.

[10] ENTRAMBASAGUAS, Joaquín, *Op. cit.,* vol. II, pág. 357.

que dio su sangre, sus ilusiones y su patrimonio para conservar las últimas provincias ultramarinas. Maeztu llega a afirmar que había en el «ideario de 1898 cierto espíritu pacifista y de desprecio del valor físico» [11]. Eran pues, extraños a lo más noble de aquella hora trágica, y, sin embargo, se convirtieron en sus portavoces y definidores. Alguna vez, como cuando gritaban su dolor, hablaban por España; pero de ordinario configuraban de nueva planta la opinión nacional. Más que los exponentes fueron los inventores del espíritu noventayochista. Su ilegitimidad de origen es tan cierta como su poder, y el descubrimiento de la primera no basta para negar el segundo. Los hechos, por absurdos que resulten, son indestructibles, y la realidad es que el impacto del espíritu noventayochista en la vida española del novecientos es formidable. Todavía hoy su eco resuena en la lírica, en el ensayo, en los usos intelectuales, en las posiciones políticas y en insospechadas latitudes de la vida española. Por eso el 98 sigue

---

[11] MAEZTU, Ramiro de, *El nuevo tradicionalismo y la revolución social*, Madrid, 1959, pág. 179.

siendo cardinal punto de referencia y bandera alzada, aunque marchita.

2. EL MÉTODO DE LAS GENERACIONES

A la minoría de escritores expresivos del noventayochismo los englobó el duque de Maura dentro del concepto de «generación» [12], pronto adjetivado por Azorín con la precisión del 98 [13]. Considero este bautizo como un infortunio intelectual a causa de la indeterminación conceptual y de la insuficiencia intrumental de la idea misma de generación. El primer intento de elaborarla es de Dilthey, y el interés de sus consideraciones es primordialmente erudito porque no aportan más notas definitorias de la noción de generación que la simultaneidad y la identidad de influencias [14]. El empeño de Ortega es más se-

---

[12] MAURA, Gabriel, «Faro» (semanario), 23-II-1908. Vid. el artículo de Rafael MARQUINA, *El bautista de la 98* en «La Gaceta Literaria», 15-XI-1931.

[13] AZORÍN, *Clásicos y Modernos,* Madrid, 1913, págs. 285 y siguientes.

[14] DILTHEY, Guillermo, *Vida y Poesía,* trad. esp. México, 1953, págs. 287 y ss., y *Psicología y teoría del conocimiento,* trad. esp., México, 1945, págs. 438 y ss.

rio; pero sus resultados decepcionantes: «Una generación es una variedad humana, en el sentido riguroso que dan a este término los naturalistas. Los miembros de ella vienen al mundo dotados de ciertos caracteres típicos, que les prestan una fisonomía común»[15]. La nota que añade Ortega al esbozo de definición diltheyana es, pues, la del fatalismo: como se es parecido a los progenitores se es análogo a los coetáneos. Pero ¿por qué se produce esa variación?; ¿qué rasgos se modifican?; ¿cuáles permanecen inalterables en cada individuo?; ¿conviven más de dos generaciones?, etc. Las cuestiones que podían aportar alguna precisión quedan sin respuesta.

Ningún otro pensador de talla ha vuelto a la forja de este esponjoso y amorfo concepto. Pedro Laín, después de exhumar no pocas curiosidades bibliográficas sobre la cuestión y de consagrar a sus autores una atención inmerecida concluye: «Las diversas meditaciones sobre el tema difieren entre sí tan desconsoladoramente, que si uno viese la verdad en la concordancia se quedaría al fin

[15] ORTEGA Y GASSET, José, *Obras Completas,* Madrid, 1946 y ss., vol. III, págs. 147-48.

con este paupérrimo resultado en sus manos. Una generación es un conjunto de hombres más o menos coetáneos, cuya vida histórica se parece entre sí»[16]. Y cuando al cabo de más de trescientas macizas páginas da su propia sentencia, nuestra desilusión no es menor: «Describir el suceso histórico de una generación es... hacer la biografía de su parecido»[17].

Los frágiles goznes sobre los que se apoya el concepto de generación son, pues, la coetaneidad y la semejanza de ciertas individualidades. Ambas notas son formas de coincidencia, de analogía en algo. El método de las generaciones consiste, por lo tanto, en una identificación de parecidos insignes, en un paralelismo de notas biográficas contemporáneas, en una fisonomía selectiva y comparada de coetáneos. La insuficiencia de este método no consiste sólo en la demostrada imposibilidad de establecer, con un mínimo de nitidez, los límites cronológicos de una generación, el número de las que coexisten, su ámbito geográfico y

---

[16] LAÍN, Pedro, *Las generaciones en la Historia,* Madrid, 1945, pág. 265.
[17] LAÍN, *Op. cit.,* pág. 316.

el elenco de sus miembros, sino en que quiebra el
continuo histórico [18], lo divide en un rompecabe-
zas de irregulares fragmentos recíprocamente se-
cantes, y troncha las sutiles hebras de la tradición;
en que acepta lo dócil y desprecia lo irreductible
a una arbitraria selección de rasgos comunes [19];
en que reduce a un grupo minoritario todo un período de vida nacional multitudinaria; en que su
oriundez zoológica y su inevitable biologismo naturalista [20] dejan maltrechos, cuando no destruyen,

---

[18] El libro de A. MILLÁN PUELLES, *Ontología de la existencia histórica,* Madrid, 1951, es una definitiva liquidación
de la interpretación discontinuista de la Historia en que se
suele apoyar el método de las generaciones.

[19] Esta es—amén de la escasa simpatía—una de las razones de que LAÍN cite sólo 36 líneas, apenas sin interés, de
MAEZTU en un libro que, como *La generación del 98,* tiene
más de 700 referencias de otros autores que sumarían más
de 100 páginas. En sólo un folio cita LAÍN casi tantos versos
del poeta MACHADO como líneas del pensador MAEZTU en
toda la obra. ¡Triste e increíble ausencia!

[20] «Es imposible presentar como fase de desarrollo de un
determinado fenómeno histórico la generación, es decir, un
período que, biológicamente hablando, es y será siempre
completamente arbitrario. En este punto, como en casi todos,
se demuestra que existe un abismo infranqueable entre las
Ciencias Naturales y la Historia» (HUIZINGA, Johan, *El concepto de la Historia,* trad. esp., México, 1946, págs. 80 y 81.
«El concepto de generación es, al fin y al cabo, biológico,

al espíritu y a la libertad, que son el sujeto principal y la condición primaria de la Historia; en que confunde la obra creadora del hombre con los reflejos de la circunstancia sobre su vida; en que antepone la asociación al linaje, la relación condiscipular a la magistral y la tertulia al aula; en que ignora las divergencias anteriores y posteriores de grupo de vidas sólo porque coinciden momentánea y parcialmente, confundiendo así lo que es fugaz entrecruzamiento con un imposible y supuesto paralelismo; y sobre todo, en que trata de hacer inteligible la cultura a partir de sus creadores, pero no por la vía de la biografía individual, sino colectivizándolos y despersonalizándolos.

El método de las generaciones no es un arte de distinguir, sino de confundir, de masificar lo egregio, de enderezar sinusoides, de equidistar convergentes y de esclarecer difuminando. Y aunque toda pretensión de quintaesenciar y esquematizar el inagotable flujo de los acontecimientos obliga a simplificar lo múltiple, a generalizar lo individual y a racionalizar lo libre—arduos y violentos

---

vitalista» (LÓPEZ-IBOR, Juan José, *El español y su complejo de inferioridad*, Madrid, 1951, pág. 33).

empeños—, el método de las generaciones, al centrarse en lo más complejo, irrepetible y libérrimo que existe—el genio—lleva innecesariamente hasta sus límites extremos la dificultad de historiar, y en su trágico empeño de resolverla, destroza la fibra más valiosa del tejido histórico: la personalidad extraordinaria. Por fortuna, la realidad es más fuerte que él, y los hombres egregios, de ordinario muy mal avenidos y rebeldes a toda confusión, reclaman el descubrimiento individual y, a despecho de forzados paralelismos y de caprichosos emparentamientos, rebasan con sus incisivos rasgos el carnisero marco generacional. Y esta invencible resistencia de los hechos al método es la postrera e irrebatible prueba de su poca viabilidad.

3. ¿GENERACIÓN LITERARIA DEL 98?

Por eso no se ha intentado aún reconstruir, no ya la historia de la Humanidad, sino la de un pueblo, según el método de las generaciones. Los ensayos conocidos son más modestos, y se han restringido al ámbito del arte, como en el fracasado empeño de Pinder [21], o de la literatura [22]. En este caso, el panorama de una literatura nacional dependerá del punto de partida, o sea, de la idea que se tenga de una generación. Este convencionalismo es una limitación sustancial si no se llega a producir un auténtico acuerdo entre los historiadores. Y ni en el caso de la literatura lo hay. La aportación metodológica más estimable está en la bien conocida monografía de Petersen, *Las generaciones literarias,* capital también por su resumen expositivo de doctrinas anteriores. A su juicio, «una generación no puede pasar ni por una medida regular de tiempo..., ni tampoco por una igualdad fijada por el nacimiento, sino como una... comunidad de destino que implica una homogeneidad de experiencia y propósitos» [23]. Influyen en la formación de esta co-

---

[21] PINDER, W., *Das Problem der Generation in der Kunstgeschichte Europas,* Leipzig, 1926. Hay versión española.

[22] KUMMER, Friedrich, *Deutsche Literaturgeschichte des XIX Jahrhunderts, dargestellt nach Generationen,* 1919; y THIBAUDET, Albert, *Historia de la Literatura Francesa desde 1789 hasta nuestros días,* 2.ª ed. esp., Buenos Aires, 1945.

[23] PETERSEN, Julius, *Las generaciones literarias,* en el vo-

munidad la herencia, la fecha de nacimiento, la educación, la convivencia, las experiencias comunes, un guía, el lenguaje y el anquilosamiento de los predecesores [24]. El primero que aplicó el esquema de Petersen fue Jeschke [25], y precisamente a los noventayochistas, en un libro poco conocido, pero que es el auténtico punto de arranque y la fuente principal, aunque no siempre confesada, de los numerosos estudios sobre la materia.

De la idea de generación literaria puede predicarse casi todo lo expuesto acerca del método de las generaciones; pero la prueba definitiva de su ineficacia es contrastar sus resultados ante el tema que cuenta con una mayor bibliografía, y en el que la general aceptación parece indicio de un éxito metódico. ¿Cuáles son los logros obtenidos aplicando el método de las generaciones al torso literario español de finales del siglo XIX y

---

lumen colectivo «Filosofía de la Ciencia Literaria», traducción española, México, 1946, págs. 188 y ss.

[24] PETERSEN, *Op. cit.*, págs. 164 a 188.

[25] JESCHKE, Hans, *Die Generation von 1898 in Spanien,* Halle, 1934. Cito por la 2.ª ed. esp. revisada por el autor según trad. de Y. PINO con *Prólogo* de G. FERNÁNDEZ DE LA MORA, *La generación de 1898,* Madrid, 1954.

comienzos del xx? Me limitaré a la comprobación de sólo un dato, tan sencillo como básico y condicionante: el elenco generacional.

Según Azorín, que confirmó el bautismo de Maura, la generación del 98 la integran Benavente, Valle-Inclán, Baroja, Bueno, Unamuno, Rubén, Maeztu, y él mismo [26]. Para Jeschke son sólo cinco: Benavente, Valle-Inclán, Baroja, Azorín y Antonio Machado [27]. Melchor Fernández Almagro aisla dos grupos: los noventayochistas—Ganivet, Unamuno, Maeztu, Baroja, Azorín—y los modernistas—Benavente, Valle-Inclán, Rubén Darío— [28]. Quince años después el mismo autor nos da un elenco diferente: Unamuno, Baroja, Azorín, Maeztu, Valle-Inclán, Antonio Machado, Benavente... y, como fondo Salaverría, Bueno, Santos Oliver, Cijes Aparicio, Grandmontagne, Alomar..., y sugiere la inclusión de Menéndez Pidal [29]. Guillermo Díaz Plaja demuestra que existieron «dos ac-

[26] Azorín, *Op. cit.,* págs. 308-9.

[27] Jeschke, *Op. cit.,* págs. 85 y 86.

[28] Fernández Almagro, Melchor, *Vida y Literatura de Valle-Inclán,* Madrid, 1943. pág. 54.

[29] Fernández Almagro, Melchor, *Historia de la España contemporánea,* vol. II, págs. 621-2.

titudes fundamentales: la crítica del Noventa y Ocho, y la del Modernismo»; en la primera incluye a Baroja, Azorín, Maeztu, A. Machado, Ganivet y Unamuno; en la segunda a Valle-Inclán, Rubén Darío, Benavente, M. Machado, Villaespesa, Marquina, J. R. Jiménez y Martínez Sierra [30]. Pedro Laín es de los más generosos y añade a la lista de Azorín los nombres de Manuel y Antonio Machado, Ganivet y Zuloaga, omitiendo, en cambio, a Rubén Darío [31]. Angel Valbuena elimina a Benavente y Valle-Inclán, y cuenta sólo con Baroja, Azorín, Antonio Machado, Unamuno y Maeztu. Pedro Salinas enriquece la lista de Jeschke con sólo dos nombres: Maeztu y Unamuno [32]. Según Entrambasaguas hay dos grupos, el de los regeneracionistas—Ganivet, Unamuno, Maeztu y Cajal—y el de los que, glosando un título afortunado

---

[30] Díaz-Plaja, Guillermo, *Modernismo frente a Noventa y ocho,* Madrid, 1951, pág. 117.

[31] Laín, Pedro, *La generación del noventa y ocho,* Madrid, 1945, pág. 68.

[32] Salinas, Pedro, *El concepto de generación literaria aplicado a la del 98,* en «Literatura española. Siglo XX», segunda ed. México, 1948, págs. 26 y 27.

4

de Galindo [32], llama «los que no fueron a la guerra», que no enumera, y aunque acepta la subdivisión en modernistas y noventayochistas puros, no da por buena ninguna de las arbitrarias listas confeccionadas hasta la fecha [34]. Para Ramón Gómez de la Serna, coexistieron dos grupos: uno formado por Azorín, Baroja, Maeztu, Alberti, Gandía y Cornuty; y otro por Valle-Inclán, Benavente, Bueno y «algunos corifeos» [35]. La última palabra, muy justa y objetiva ciertamente, es la de Granjel, quien niega la existencia de la generación del 98; pero admite la de un parvo equipo—Maeztu, Baroja, Azorín y, en cierto modo, Unamuno—cuya unidad —como ya había apuntado López Ibor—viene sólo dada por afinidades políticas, y muy transitorias, puesto que el grupo inicia su disolución en 1902, es decir, apenas constituido [36].

---

[32] GALINDO, Santiago, *El 98 de los que no fueron a la guerra*, 2.ª ed., Madrid, 1955.

[34] ENTRAMBASAGUAS, Joaquín, *Op. cit.*, vol. I, págs. XLVIII y siguientes.

[35] GÓMEZ DE LA SERNA, Ramón, *Obras Selectas*, Madrid, 1947, pág. 1165.

[36] GRANJEL, Luis, *Panorama de la generación del 98*. Madrid, 1959, págs. 78, 237 y 257. «¿Cómo plantear el resurgi-

Si ante estas discrepancias nos dirigimos a los protagonistas, la impresión no es menos desoladora. «Yo no creo—escribe Baroja—que haya habido ni que haya una generación del 1898. Si la hay yo no pertenezco a ella» [37]. Jeschke nos transmite: «Valle-Inclán me ha negado en una conversación que tuve con él, la existencia de la generación de 1898» [38]. Por su parte Maeztu escribe: «la llamada generación del 98» [39], y, según su hermana María, solía afirmar con enojo: «no existe tal generación: el concepto de generación es impreciso y falso, y si existe yo no pertenezco a ella» [40]. Incluso Azorín, que es el verdadero forjador del término, escribe: «no acaba de gustarnos esto de la generación de 1898... Pero, en

miento nacional? Esta actitud de interrogación con angustia, es lo único que tiene de común la generación del 98» (LÓPEZ-IBOR, Juan José, *Op. cit.*, pág. 34).

[37] BAROJA, Pío, *Obras Completas,* ed. cit., vol. V, página 496.

[38] JESCHKE, *Op. cit.*, pág. 82.

[39] MAEZTU, Ramiro de, *Frente a la República,* selección y estudio preliminar de G. FERNÁNDEZ DE LA MORA, Madrid, 1956, pág. 113.

[40] MAEZTU, María de, *Prólogo a España y Europa,* Buenos Aires, 1947, pág. 13.

fin, pase, como recurso de comodidad, la denominación» [41].

El resultado de esta verificación, hecha a vuelo
de pájaro, para suavizar la sensación de absoluto
y angustioso caos que provocaría un más próximo y minucioso análisis de la riquísima y discordante bibliografía disponible, es categóricamen-
te negativo [42]. El elenco generacional oscila entre tres y dieciocho miembros, cifra a la que se
llega incluso sin interpretar los puntos suspensi-
vos que al final de sus listas incluyen no pocos historiadores. Y tres de los cinco menos discutidos
miembros de la presunta generación niegan tenaz-
mente no sólo su pertenencia a ella, sino la existencia del grupo. ¿Cabe más desolador balance
del método generacional, incluso aplicado al limitado campo de la literatura, a un período cortísi-

---

[41] Azorín, *Obras Completas,* Madrid, 1947 y ss., vol. I,
página 1014.

[42] «De los literatos—escribe Julio Rey Pastor—en quienes
se ha querido personalizar el espíritu de la nueva España,
bajo el discutido remoquete de generación del 98, cabe decir
con Baroja, que ni era generación, ni era del 98» *(Torres
Quevedo y el 98,* en «ABC», 25-III-1953, recogido en *El Artículo 1905-1955,* selección J. Ballesté, Madrid, 1955, página 374).

mo, y a una minoría intelectual que reúne condiciones óptimas para el tratamiento paralelo? La fórmula *generación del 98,* en cuanto pretendida aplicación del método de las generaciones en general, o sólo de las literarias, es indefendible. Su única eventual validez sería como simple apelativo colectivo, tan convencional como el de la *tertulia de Pombo,* la *Academia Española,* o *La Pléyade.* Pero incluso en este limitado supuesto de pura etiqueta, su utilidad es mínima, porque no hay concordia sino anárquicas disconformidades acerca del número de miembros que entran bajo la denominación común. Estamos, pues, ante una fórmula vaga, equívoca, pseudotécnica, inestable, evocadora de inexistentes precisiones y con un significado puramente metafórico e indiciario. Por esto la considero una desventura historiográfica, raíz de innúmeras confusiones, de inacabables polémicas y de manipulaciones contradictorias. Lo mejor que puede decirse de ella es que es un comodín crítico o un latiguillo de pedagogías apresuradas. Procede, pues, excluirla del lenguaje científico.

4. EL ESPÍRITU DEL TIEMPO

La historia se funda en la anécdota; pero no concluye en ella, sino en la elaboración conceptual del pasado. Sin términos como los de renacimiento, reforma, revolución, romanticismo..., el ayer quedaría reducido a una cronología muy difícil de manipular intelectualmente. Es cierto que estos términos son indicativos y convencionales; pero el historiador tiene tanta razón como el naturalista para reinvidicar el derecho a titular y subtitular su objeto de estudio. Los conceptos históricos son la nomenclatura genérica del pasado. Y aunque su significado es movedizo, y considerable su tendencia a distanciarse de lo fáctico, sin ellos la Historia no podría subsistir como ciencia del espíritu. El estudio de cualquier pasado, por corto que sea, desemboca o en la forja de un término nuevo, o en otro ya conocido. El método histórico, escribe Dilthey, «consiste siempre en formar conceptos que exponen el ser propio de la época»[43]. Y el contenido de esos conceptos es lo que se ha llamado *el espíritu del tiempo*.

La expresión es un invento de la ilustración y del idealismo. Fichte afirmaba en una de sus primeras lecciones, dictadas durante 1805 en Berlín sobre los *Caracteres de la Edad Contemporánea,* que su verdadero propósito era el descubrimiento del «íntimo espíritu de los tiempos»[44]. «Mi objeto—escribía Voltaire—es siempre evocar el espíritu de una época»; y en otro solemne lugar: «se trata de pintar para la posteridad no las acciones de un solo hombre, sino el espíritu de los hombres en el siglo más esclarecido que ha existido jamás»[45]. También Montesquieu aludía al «espíritu general de su tiempo»[46], y análoga

---

[43] DILTHEY, Guillermo, *Mundo histórico,* trad. esp. México, 1944, pág. 313.

[44] «Innenwohnenden Geist der Zeiten» (FICHTE, Johann Gottlieb, *Grundzüge des gegenwärtigen Zeitalters,* Berlín, 1845, pág. 26).

[45] VOLTAIRE, *Essai sur les moeurs et l'esprit des nations,* París, 1756, cap. LXXX, y *Le siècle de Louis XIV,* París, 1751, cap. I (Ed. Groos, París, 1947, vol., I, pág. 1).

[46] MONTESQUIEU, *De l'Esprit des Lois,* París, 1784, libro XXXI, cap. 13 (ed. G. Truc, París, 1949, vol. II, página 332).

fórmula utilizan Schopenhauer [47], Hegel [48], Schiller [49] y Goethe [50], aunque en éste hay un matiz irónico. La noción penetra en nuestras gentes: *Lo spirito del secolo XVIII* (Florencia, 1790), se titula un perspicaz ensayo del jesuita catalán emigrado Francisco Gustá, y *Espíritu del siglo* (París, 1844), una voluminosa obra, injustamente olvidada, de Martínez de la Rosa. La expresión se impuso triunfalmente; lo ha señalado Meinecke: «en Saint Evremond, Leibniz, Shaftesbury, Boulainvilliers y el abate Dubos, se desenvolvió la cos-

---

[47] «Der Zeitgeist, das heisst, die herrschenden Begriffe» *(Die Welt als Wille und Vorstellung, 49,* en *Sämtliche Werke,* ed. Frischeisen-Köhler, Berlín s. a., vol. II, pág. 273). «...denn wissenschaftlichen, literarischen und artistischen Zeitgeist ungefähr alle dreissig Jahre deklarierten Bankrott machen sehen» *(Parerga und Paralipomena,* II-297, ed. cit., vol. VII, página 514).

[48] «Allgemeiner Geist einer Zeit..., die wesentliche Karakteristik des Geistes und seiner Zeit» *(Encyklopädie der philosophischen Wissenschaften,* 1817, 549; ed. Hoffmeister, Leipzig, 1949, pág. 451).

[49] «Geist der Zeit» *(Ueber die aesthetische Erziehung des Menschen* en *Philosophische Schriften,* Leipzig, 1922, página 170).

[50] «Was ihr den Geist der Zeiten heisst, / das ist im Grund der Herren eigner Geist» *(Faust* en *Werke,* ed. Stenzel, Salzburg, 1953, vol. II, pág. 663).

tumbre de hablar de un espíritu de los pueblos y, a veces, de un espíritu de los tiempos también» [51]. Y su enumeración es, sin duda, incompletísima.

Desde Voltaire a nuestros días, pasando por Dilthey, la búsqueda del espíritu del tiempo no ha dejado de ser el definitivo empeño del historiador, porque supone la exploración, contraste, concordancia, valoración, síntesis y reducción a símbolos de todas las magnitudes de un período, sin desdeñar ninguna dimensión representativa de la vida humana. Implica, además, la aceptación de un cambio en la mentalidad de los humanos según las épocas, supuesto fundamental del historicismo, cuyo imperio metodológico no ha cesado de crecer. El espíritu del tiempo se obtiene destilando infinidad de noticias, procedentes de las más variadas latitudes de la realidad. Y aunque es fundamentalmente historia interna —las «corrientes espirituales» [52] según Rothaecker—lleva implícita la historia externa en las

[51] MEINECKE, Friedrich, *Die Entstehung des Historismus*, 2.ª ed., Munich, 1946, pág. 103.

[52] ROTHAECKER, Erich, *Filosofía de la Historia*, trad. española, Madrid, 1951, pág. 104.

reacciones de los que la hicieron o la padecieron. La fijación y encadenamiento de los espíritus del tiempo es, en fin, la verdadera sustancia de la historia de la cultura, y el objeto formal de la llamada *Geistesgeschichte*, que es la más alta expresión actual de la ciencia histórica. Quizá por eso Dempf emplea el *Geist der Zeit*[53] como sinónimo de razón histórica.

La fuente principal del espíritu del tiempo son los escritores, unas veces, porque lo configuran, otras, porque dan fe de él. Como portavoces o como guías, como testigos o como autores, siempre hay unos hombres de pluma que dan contenido y perfil a las épocas, a la edad de Pericles o al Helenismo, sin que por eso cada biografía individual interrumpa su rumbo específico. Las mentes egregias van a dar testimonio o a crear en un momento dado el espíritu del tiempo; pero muy luego retornan a su intransferible y a veces zigzagueante trayectoria vital. El espíritu del tiempo es la obra del hombre y, por eso, se objetiva y se independiza de él como una institución o

[53] DEMPF, Alois, *Theoretische Anthropologie*, Munich, 1950, pág. 255.

un tratado, y sigue operando en la Historia, incluso cuando su inventor, despectivo, ha renunciado a él, o arrepentido, trata de contrarrestarlo. No son los individuos eminentes los que pueden ser explicados encorsetándolos y uniformándolos en el espíritu del tiempo—como se pretende con la idea de generación—, sino que es éste el que ha nacido de los hombres y queda, entero y verdadero a sus espaldas, gravitando con mayor o menor pesadumbre, pero sin privarles de la libertad de abandonarlo o de negarlo, de desviarse o de rectificar.

Lo que, en el fondo, da algún sentido positivo al nombre *generación del 98,* no es su pertenencia a la reciente y desavenida familia de las generaciones, sino su carácter de simple apelativo, es decir, de sinónimo más o menos vergonzante de otras expresiones más simples como «los noventayochistas», por ejemplo. Y en este caso estamos ante una denominación que si tiene algún contenido es, precisamente, el *espíritu del tiempo.* Consciente del problema, el perspicaz Petersen escribe: «el término generación representa hoy un sustitutivo diferenciado del concepto sumario y apenas aprehensible de *espíritu de la época*» [54]. Y Salinas sin reparar en el alcance de su aserto reconoce que «lo que la generación tiene de común es el problema de su tiempo, la demanda y el quehacer de su tiempo» [55]. ¿Por qué, entonces, interponer entre el historiador y el espíritu del tiempo un método tan ambiguo, obstaculizante e infructuoso como el de las generaciones? Abandonemos, pues, la inútil y embarazosa carga metodológica.

El propósito de las páginas que siguen es aprehender y sintetizar el espíritu del 98 español. No se trata de hacer la crónica de aquel año que se da por sabida, ni siquiera la Historia de las ciencias, las letras y las artes patrias en la transición del siglo XIX al XX. El campo de este estudio se reduce a una corriente española, espiritual y minoritaria que es justo apellidar con la fecha del 98 porque su vinculación al Desastre es indisoluble. Y su importancia no radica en su entidad originaria, que fue escasa; ni en su legitimidad social, que fue casi nula; ni en su carácter representativo

---

[54] PETERSEN, *Op. cit.*, pág. 139.
[55] SALINAS, *Op. cit.*, pág. 31.

de la vida nacional, porque no lo tuvo; sino en su novedoso y tajante enfrentamiento con el pasado y, sobre todo, en su profundo impacto sobre un porvenir que ya está a nuestras espaldas. Nos importa descifrar la huella de los acontecimientos, el estado de ánimo, la actitud ante las cosas, el inventario de problemas, el repertorio de modos de comportarse, el elenco de creencias, el sistema de ideales, la serie de amores, el clima, las huellas del pasado y la concatenación histórica de este espíritu. La interrogación es tan simple como tentadora: ¿cuáles fueron los hechos, el temple, la postura, las inquietudes, el estilo, los dogmas, los proyectos, las aficiones, el ambiente y las taras de nuestro 98?

III. EL ESPIRITU DE 1898

1. Los hechos en las gentes: anonadamiento

Durante decenios ha sido un lugar común entre nosotros la tesis de la frivolidad, infantilismo e irresponsabilidad de la sociedad española finisecular. Se nos presentaba al Madrid noventayochista como la inconsciente ciudad alegre y confiada que—era el tópico dato solitario—la tarde de Cavite se había ido bulliciosamente a los toros. Esta sospechosa imagen de atonía patriótica estaba en polar contradicción con la popularidad y heroicidad de la guerra y con la desesperación colectiva que produjo la derrota militar. Pero ningún cronista pareció reparar en objeción tan elemental y voluminosa. Se daba paso preferente y crédito ilimitado a los criticismos y masoquismos en que desde antiguo hemos sido naturalmente tan fértiles. Y así acabaron prevaleciendo las voces de unos escritores, casi todos noveles, que con Azorín y Maeztu a la cabeza, exageraban sus posiciones para conquistar la notoriedad, y extremaban sus discrepancias para salvarse de las responsabilidades que exigía una opinión defraudada. De este modo se forjó la leyenda que ha enseñoreado nuestra historia, hasta que muy recientemente se ha empezado a proyectar luz sobre la auténtica reacción nacional [56].

La noticia de la rota de Cavite se divulgó en la capital cuando un público cariacontecido y, por cierto, muy menguado, salía de la cuarta corrida de abono. Se extendió la consternación, y pronto se organizaron manifestaciones en la Puerta del Sol, en la calle de Sevilla y frente a la Presidencia del Gobierno. Al día siguiente la plaza de toros estaba medio vacía. Y el 2 de mayo, fiesta castiza y bullanguera, no había nadie en los

---

[56] CEPEDA, José, *El 98 en Madrid,* Madrid, 1954, páginas 27 y ss.

balcones públicos, y el desánimo callejero era general. Yo le he oído contar más de una vez a mi padre que al suyo, que no era un ex combatiente, sino un magistrado nada efusivo, se le saltaban las lágrimas al evocar sus recuerdos noventayochistas. Menéndez Pelayo insiste en «la tristeza *nacional* que a *todos* nos embarga»[57]. Y Fernández Almagro resume así los innegables hechos: «Anonadados, estupefactos quedaron los españoles, sin fuerzas morales ni posibilidades materiales para intentar nada, más los de abajo que los de arriba, por hallarse peor informados y ser menor su capacidad de reacción. En tales condiciones de abatimiento y dolor irreparable ¿qué podía significar el Tratado de París sino una corroboración»[58].

Vale la pena tratar de penetrar también en el

---

[57] MENÉNDEZ PELAYO, Marcelino, Carta a Farinelli (22-VI-1898) en *Epistolario de Farinelli y Menéndez Pelayo* en «Boletín de la Biblioteca Menéndez Pelayo», vol. XXIV, 1948, pág. 186.

[58] FERNÁNDEZ ALMAGRO, Melchor, *Historia política de la España contemporánea,* vol. II, pág. 597.

5

dolor de los de arriba. Emilio Castelar, que había calificado de «epilepsia colectiva» y «delirio de desesperación» la reacción popular, escribía descubriendo su corazón: «necesitaríamos las quejas de Job y los plañidos de Jeremías para llorar nuestras desgracias... se anuda la garganta, se detiene la pluma, diciendo de palabra o por escrito nuestra derrota» [59]; y un mes después insistía en su «desesperación» [60]. Ganivet alude a «los desastres que llueven» sobre España y al momento, que compara con un naufragio en el que «sólo queda tiempo para encomendarse a Dios antes de irse al fondo» [61]. «Decaído» se confiesa Menéndez Pelayo ante lo que él llama «el día más triste de nuestra desventura nacional» [62], y «la espantosa catástrofe en que parece que se

[59] CASTELAR, Emilio, *Crónica internacional* en «La España Moderna», Madrid, agosto 1898, págs. 182-3.

[60] CASTELAR, Emilio, *Crónica internacional* en «La España Moderna», Madrid, octubre 1898, págs. 190-91.

[61] GANIVET, Angel, *Obras Completas*, Madrid, 1943, volumen II, pág. 1083.

[62] MENÉNDEZ PELAYO, Marcelino, Carta a Valera (6-IX-1898) en *Epistolario de Valera y Menéndez Pelayo*, Madrid, 1946, págs. 543-4.

va a hundir hasta el nombre de la patria» [63]. Valera se declara «agobiado por los infortunios públicos» y exclama: «Tremenda es nuestra desdicha» [64]. Costa evoca «aquella hora apocalíptica en que la Historia exprimió sobre nosotros, con gran complacencia, toda su hiel» [65]. Y Ramón y Cajal recordará años después: «recibí la nueva horrenda y angustiosa, como una bomba» [66]. Entre los jóvenes no conozco testimonio más patético que el del recluta recién licenciado Maeztu: «Hundido en un anonadamiento sombrío y desesperado, colgué la pluma» [67]. También José Ortega y Gasset, que cumplía entonces quince años, conserva imborrable y angustiosa memoria: «un año tristísimo, 1898.

---

[63] MENÉNDEZ PELAYO, Marcelino, Carta a Estelrich (22-IX-1898) en *La correspondencia de Estelrich y Menéndez Pelayo* en «Boletín de la Biblioteca Menéndez Pelayo», volumen XXVI, 1950, pág. 251.

[64] VALERA, Juan, *Obras Completas,* Ed. Aguilar, Madrid, 1942, vol. II, pág. 973.

[65] COSTA, Joaquín, *Oligarquía y caciquismo,* Madrid, 1902, página 699.

[66] RAMÓN Y CAJAL, Santiago, *Recuerdos de mi vida,* Madrid, 1923, pág. 294.

[67] MAEZTU, Ramiro de, *Hacia otra España,* Bilbao, 1899, página 106.

¡Qué abismo de dolor!» [68]. Y los calificativos de «terrible» y «fatal» matizan siempre sus alusiones a la fatídica fecha [69]. No es menos sombría la visión poética del vencimiento: «Y da vergüenza conservar la vida... la catástrofe horrible es obra nuestra» cantaba Emilio Ferrari en sus sonetos *Impresiones del desastre* [70]. ¡*INRI!* se titulaba la silva que Salvador Rueda dedicó a la patria derrotada [71]; pero acaso la más pungente huella que dejó el 98 en nuestra poesía sea el *Cant del Retorn* de Maragall, reiteradamente extremecido por el bordón «ploreu, ploreu» [72]. Y no sería difícil multiplicar los testimonios de desencantada amargura. Por eso no es posible leer con indiferencia estas líneas tan desangeladas como irresponsables de Pío Baroja: «La noticia

---

[68] ORTEGA Y GASSET, José, *Obras Completas,* ed. cit., volumen I, pág. 512.

[69] ORTEGA Y GASSET, José, *Obras Completas,* ed. cit., volumen I, págs. 164 y 283.

[70] FERRARI, Emilio, *Obras Completas,* Madrid, 1908, volumen I, págs. 134-5.

[71] RUEDA, Salvador, *Poesías Completas,* Barcelona, 1911, página 20.

[72] MARAGALL, Juan, *Poesies,* Barcelona, 1912, vol. I, páginas 178 y ss.

se recibió con una perfecta indiferencia... La gente iba al teatro y a los toros con perfecta tranquilidad»[73]. Así han escrito algunos la historia —*sit venia verbi*—de lo que paradójicamente llamaban nada menos que el Desastre por excelencia.

Pero esta aflicción general no guardó proporción con los hechos. Y sorprende que no se haya reparado suficientemente en ello. La importancia de Cuba, Puerto Rico y Filipinas en la economía española era tan limitada que la pérdida de las islas no repercutió en el nivel de vida de la metrópoli. Al contrario, desde que estalló la insurrección los gastos militares habían ido en amenazador aumento gravando seriamente nuestro deficitario presupuesto. Tampoco nuestra posición internacional empeoró de modo sensible. Los fallidos esfuerzos de Sagasta para obtener la mediación de las grandes potencias en vísperas del conflicto demostraron nuestro aislamiento. Si se compara esta ausencia de todo vestigio de alianzas con la Conferencia de Algeciras, la milimé-

---

[73] BAROJA, Pío, *Obras Completas,* ed. cit., vol. V, pág. 273. Idem, vol. VIII, pág. 954.

trica medida de nuestro prestigio parece mayor en 1906 que diez años antes. Tampoco el hundimiento de la escuadra alteró decisivamente nuestra presencia en el mundo, porque como demostró la experiencia, la eficacia militar de nuestros viejos barcos era muy limitada. Los problemas políticos internos eran anteriores al Desastre: la oligarquía caciquil, la cuestión social y el regionalismo. La derrota influyó en su agravamiento como una causa más, que ni siquiera era la más importante.

Pero la desproporción se manifiesta todavía más claramente si retrocedemos a nuestra verdadera quiebra imperial. Cuando se acaba de perder no un archipiélago, sino el continente americano en la incomprensible retirada de Junín y en la sospechosa derrota de Ayacucho (1824) —noticia que llegó a España con cinco meses de retraso— la única reacción nacional fue una fría resolución del Gobierno remitiendo el asunto al Consejo de Indias [74]. No hay testimonios ni popu-

---

[74] FERNÁNDEZ ALMAGRO, Melchor, *La emancipación de América y su reflejo en la conciencia española,* Madrid, 1944, página 82. El autor no se plantea la cuestión capital: la de

lares ni aristocráticos que acrediten desconsuelo.
Ni siquiera prendieron en el recuerdo de las gentes los fáciles nombres de los lugares en que se
consumó la emancipación: Junín y Ayacucho.
Nuestros generales de las horas decisivas—Cante-
rac y Monet—tenían moral de entrega. Todo induce a pensar que el desenlace se daba por inevitable desde tiempo atrás, y que por eso cuando
llegó el día, el eco nacional fue «tenue o nulo» [75].
La narración acaba y la Historia comienza cuando
a estas alturas de nuestra meditación nos preguntamos: ¿Por qué los españoles, impasibles ante
la pérdida del Nuevo Mundo, reaccionaron tan
patéticamente cuando vieron naufragar los últimos
restos del escorado y desguazado Imperio? Esta
increíble, fabulosa desproporción entre la aparen-
te causa y el efecto, denuncia un hecho tan pre-
terido como capital: la crisis del 98 fue principalmente psicológica, y su perfil nos lo da la historia

---

la traición de los jefes realistas en Junín, donde, según el
propio Bolívar, no se disparó un tiro, y en Ayacucho, donde,
a pesar de nuestra superioridad militar, se ofreció la paz
antes de combatir (Madariaga, Salvador, *El ciclo hispánico,*
Buenos Aires, 1958, vol. II, págs. 1262, 1273 y 1296).

[75] Fernández Almagro, Melchor, *Op. cit.,* pág. 86.

del espíritu. La derrota fue el último estímulo para una respuesta largamente incubada. Fue el gran pretexto para apoyar una rebelde actitud espiritual. Sólo Pabón lo ha apuntado cuando al comparar nuestro desastre con otros ajenos y contemporáneos —el ultimátum inglés a Portugal en 1890. el Shimonosheki japonés de 1895, el pleito británico con Venezuela en 1896, el Fashoda francés de 1889...—, concluye: nuestro 98 «fue un acontecimiento internacional; un 98 en la serie de los 98; *el único no aceptado*» [76]. Pero es preciso dar con el radical porqué de esta resistencia nacional. Y para ello hay que proseguir la tarea de rehacer la historia interna del suceso.

2. EL ESTADO DE ÁNIMO: HIPERESTESIA

El 98 fue un desastre más subjetivo que objetivo. Lo decisivo no fueron los hechos, sino su interpretación. Por eso el primordial ingrediente del espíritu del 98 no fue la derrota, sino un estado de ánimo. Tradicionalmente se ha definido

---

[76] PABÓN, Jesús, *Op. cit.*, pág. 92. El subrayado es mío.

este momento sentimental como un afecto difuso y sin causa [77], como un estado emotivo de larga duración que predispone para ciertos sentimientos y resiste a otros, como algo profundo y vagamente determinado, anterior a la tristeza y a la alegría, a la ira y al miedo. El estado de ánimo o *Stimmung* es para Heidegger, que ha hecho de esta noción un cimiento de su ontología, un modo de ser constitutivo del *Dasein,* aquello que hace patente cómo le va a uno—*wie einem ist und wird*—; es, en una palabra, el encontrarse o *Befindlichkeit* [78].

La crisis ultramarina se convierte en el gran tema político [79]. Los avatares de la campaña colonial monopolizan las hojas informativas. El reclutamiento de tropas y la presión fiscal llevan el eco de Cuba a todos los hogares. El agresivo intervencionismo estadounidense excita el orgullo nacional. El pueblo llano confía en el éxito de

---

[77] FROEBES, José, *Tratado de Psicología empírica y experimental,* trad. esp. Madrid, 1944, vol. II, pág. 298.

[78] HEIDEGGER, Martin, *Sein und Zeit,* 3.ª ed., Halle, 1931, página 134.

[79] Vid. G. ROUTIER, *L'Espagne en 1897,* París, 1897, especialmente págs. 280 y ss.

nuestras armas. Así se fraguó la convicción de que Cuba, regada con sangre peninsular, era un trozo de España, fatalmente ligado al destino metropolitano. Hasta se llegó a considerar la colonia como necesaria para nuestra supervivencia. «Esta guerra—escribe Ganivet en uno de sus postreros escritos—que se dice sostenida por honor, es también, y acaso más, lucha por la existencia. La pérdida de las colonias sería para España un descenso en su rango como nación; casi todos sus organismos oficiales se verían disminuidos, y lo que es más sensible, la población disminuiría también a causa de las crisis de algunas provincias» [80]. Y el vocablo «cesión» se borró del diccionario político. El estado de ánimo del español medio a finales del siglo es de una hipersensibilidad patriótica enfermiza que trascendentalizaba todo: paroxismo antes del aceptado conflicto, y depresión después de la inesperada derrota.

También el temple de la minoría escritora era la impresionabilidad; pero no momentánea, como en las volubles masas, ni circunscrita a la cosa

---

[80] GANIVET, Angel, *Obras Completas,* ed. cit., vol. II, página 1086.

pública, sino duradera y abierta a todo el horizonte vital. El encontrarse típico de los noventayochistas es la hiperestesia o «avivada sensibilidad» [81], que decía Azorín, la susceptibilidad extremada hasta el dolor. Todo hiere las epidermis en carne viva. Nada resbala inadvertido: se describe minuciosa y exhaustivamente. El pormenor vulgar asciende al primer plano, el paisaje se comporta como un protagonista, aflora el microcosmos de la intimidad psicológica... Hay algo de franciscana fusión con la naturaleza, de inmersión sensitiva en la circunstancia. Duele lo próximo y lo lejano, lo individual y lo colectivo, el yo y España. Los noventayochistas van a vivir intensamente; pero en perpetua agonía. Y este radical temple va a llevarlos a la revalorización de lo trivial, al primor realista de los pintores primitivos, a la frase justa y a la forma perfecta, a la introspección acabada, a un arte conmovido, a un animismo cósmico y a una sutil disección de la patria. Lo que se ha llamado sentimiento pesimista de la vida [82] no era, en rigor, sino viven-

---

[81] Azorín, *Op. cit.*, pág. 314.
[82] Jeschke, *Op. cit.*, pág. 87

cia estremecida de lo real y de lo imaginario. Más que pesimistas u optimistas eran afectivos, sentimentales, románticos dentro de la línea clásica [83], hiperestésicos para el halago y la censura, el gozo y el dolor, la llaga y el beso. Por eso Salaverría vio en ellos, certeramente, «una tardía e inconsciente renovación romántica» [84].

El mal era, en sí mismo, menor que en Westfalia o en Ayacucho; pero se agigantó en el sensibilizado ánimo de los diagnosticadores. Algún testigo se atrevió a denunciar la peligrosa exageración; pero no fue escuchado. Es el caso de Unamuno, que entonces contaba treinta y cuatro años: «Paréceme, ante todo—escribe en noviembre del 98—, que sufrimos no poca hipocondría colectiva o social, y que aun cuando no estemos

---

[83] «El ideal es el de un escritor que, sintiendo vibrar entusiásticamente su espíritu ante el mundo exterior, que mostrándose ávido de todo espectáculo mental, que siendo capaz de exaltación y de entusiasmo, logre mantener su arte en una armónica serenidad. La inquietud romántica, dentro de la línea clásica: así podemos expresar la fórmula del artista moderno.» (AZORÍN, *Los valores literarios,* Madrid, 1913, pág. 139).

[84] SALAVERRÍA, José María, *Nuevos retratos,* Madrid, 1930, página 78.

muy sanos, es lo cierto que padecemos más bien que todas esas enfermedades nacionales que se denuncian, la enfermedad de imaginarlas. Diríase que nos complacemos en exagerar los males y en hacernos, como ciertos enfermos, los interesantes» [85]. La imagen del Desastre que ha prevalecido durante medio siglo estaba inicialmente deformada por la angustiosa perspectiva en que se colocaron los testigos. La derrota fue el perentorio trauma que, en una hora propicia de hiperestésica debilidad desencadenó la neurosis colectiva lentamente incubada por sucesivas oleadas de arbitristas y regeneracionistas [86]. Estallaron la secular obsesión de la decadencia, la fantasmal pesadilla de la inferioridad, y todos los complejos de un pueblo tan soberbio como reiteradamente humillado desde Münster. Por eso

---

[85] UNAMUNO, Miguel de, *España y los españoles*, Madrid, 1955, pág. 64.

[86] «Aquella hórrida literatura regeneracionista—escribe Unamuno—, casi toda ella embuste, que provocó la pérdida de nuestras últimas colonias americanas, trajo la pedantería de hablar del trabajo perseverante y callado... En esa ridícula literatura caímos casi todos los españoles, unos más y otros menos.» *(Obras Completas,* ed. cit., vol. IV, página 703.)

el 98 fue más que una acción y un acontecimiento, un padecimiento y una pasión. Desde cualquier otro punto de vista nuestra superlativa crisis finisecular permanecería impenetrable y absurda.

3. LA ACTITUD: REBELDÍA

El estado de ánimo es el encontrarse, lo previo a la actitud que es ya una primera toma de posición ante las cosas. La masa española, patrióticamente hipersensibilizada, adoptó, tras la ira inicial y la subsiguiente pesadumbre, una postura resignada. En cambio, la nueva minoría, decidida a desligarse de toda responsabilidad, proclamó su insolidaridad con lo vigente y se instaló en el Aventino de la rebeldía. Fue una reacción de la que tuvieron plena conciencia los portavoces del espíritu noventayochista. «Alzamos la voz con iracundia—escribe Maeztu—cuando al desnudarnos el Desastre nos reveló que nuestro cuerpo exangüe no era apenas más que huesos y piel» [87].

---

[87] MAEZTU, Ramiro de, *El alma del 98,* en *Nuevo Mundo,* 6 de marzo de 1913.

Azorín señala como característica decisiva un «vasto y acre espíritu de crítica social» [87 bis]. Baroja cree que lo único común de los noventayochistas «fue la protesta contra los políticos y literatos de la Restauración» [88]. Y Unamuno precisa: «fue ante todo, aquella nuestra gritería una protesta contra la pobre y triste política que se venía siguiendo en España» [89]. La demoledora postura está crudamente reflejada en un extremado texto de Ganivet: «odio con toda mi alma nuestra organización y todas sus infinitas farsas, y veré con entusiasmo todos los trabajos de destrucción, aunque sea yo el primero que perezca» [90].

Pero esta disconformidad política se extendió a una buena parte de la circunstancia patria y de su pasado. Y las letras no fueron una excepción. Los tres valores máximos de la literatura castellana finisecular eran Valera, Galdós y Menéndez

[87 bis] Azorín, *Op. cit.*, pág. 304. Id. pág. 310.

[88] Baroja, Pío, *Obras Completas,* ed. cit., vol. V, página 497.

[89] Unamuno, Miguel de, *Obras Completas,* ed. cit., volumen V, pág. 332.

[90] Ganivet, Angel, *Obras Completas,* ed. cit., vol. II, página 1025.

Pelayo. Ni siquiera estos tres gigantes escaparan al menosprecio de los jóvenes noventayochistas. Lo que, según Azorín, define a Valera es «el ansia... de ser rico y vivir bien», y le niega la condición de escritor «grande y perdurable» [91]. Cuando todavía estaba insepulto el autor de los *Episodios*, Unamuno le dedica una cruel diatriba, que concluía con este epitafio: «Descanse en paz el mundo de Galdós» [92]. Y acerca de don Marcelino, entre innumerables alfilerazos, destaca el artículo casi necrológico de Azorín: «Cuando se haga un estudio desapasionado de Menéndez Pelayo... habrá que decir que su estilo es más oratorio, prolijo y redundante que analítico y de menudas pinceladas, sobrio y preciso; que le ha faltado amor a las manifestaciones nuevas de la estética; que, en suma, su crítica ha sido erudita, enumerativa, y no interna, interpretativa, psicológica» [93]. En síntesis, lo que le sugirió a Azorín la figura del coloso y señor absoluto de la Historia y de la crítica

---

[91] AZORÍN, *Los valores literarios,* Madrid, 1913, pág. 176.

[92] UNAMUNO, Miguel de, *Obras Completas,* ed. cit. vol. V, página 363.

[93] AZORÍN, *Clásicos y Modernos,* Madrid, 1913, pág. 284.

literaria en España fue que «en nuestro país, la Historia literaria está todavía por construir... ha faltado el crítico» [94]. La actitud de aquellos mozos estaba reflejada en la injusta e impertinente pregunta de Maeztu: «¿Por qué nos encontramos sin literatura?» [95]. La consecuencia de esta desmesurada actitud emancipadora e iconoclasta fue que la obra fundamental de aquellos jóvenes escritores sólo tardía y excepcionalmente rebasó el nivel de la crítica [96].

Y no más benévola fue la reacción contra las ideas, los usos, el arte y aún la Historia [97]. Pero en su repudio del pasado patrio está una de las causas de su inadaptación y de su ineficacia social. Su obra no estuvo a la altura de su capaci-

---

[94] AZORÍN, *Op. cit.* pág. 280.

[95] MAEZTU, Ramiro de, *En la charca,* en «Revista Nueva», 15-IV-1899. En este artículo condena además «la grafomanía que en Madrid se estila».

[96] «Die Hauptarbeit des jungen Maeztu auch die seiner Generationsgefährten war eine Arbeit der Kritik» (HERDA, Wolfgang, *Die geistige Entwicklung von Ramiro de Maeztu,* Münster, 1960, pág. 68).

[97] AZORÍN, *Op. cit.,* pág. 314; JESCHKE, *Op. cit.* pág. 116; VALBUENA, *Op. cit.,* pág. 344. He aquí la síntesis de GIMÉNEZ CABALLERO: «Grito, rebeldía y disconformidad» *(Genio de España,* Madrid, 1932, pág. 64).

6

dad porque, como confesó luego Maeztu, «no se dieron cuenta de que no se hace nada grande sino siendo la voz o el brazo de los pueblos. Es... el complejo del espíritu del tiempo con el de la tradición, lo que potencia y multiplica y aprovecha los talentos individuales» [98]. Comenzaron proscribiendo demasiadas cosas. Y aunque situarse al margen permite distinguirse y llamar la atención más fácilmente, supone, en cambio, el grave inconveniente de renunciar al arraigo en un contexto.

La generalización de la repulsa dio al espíritu del 98 un claro sesgo revolucionario y negativo. Los escritores de aquel tiempo prefirieron definirse por la pendiente fácil de la exclusión y del *anti*. «Todos nos sentimos iconoclastas», reconoció Unamuno [99]. La confesión de Baroja es espeluznante: «¿Y ustedes, qué hacen?—pregunta alguno—. Nosotros negar. Es algo. Otros vendrán que afirmen, y si no hay nada que afirmar, nada nos importa. Es igual» [100]. Autopsia de España, revisión de va-

---

[98] Maeztu, Ramiro de, *Patriotismo* en «ABC», 6-VII-1934.
[99] Unamuno, Miguel de, *Obras Completas,* ed. cit., volumen V, pág. 334.
[100] Baroja, Pío, *Los viejos* (3-IX-1903), artículo reproducido por Granjel, *Op. cit.,* pág. 332.

lores literarios, implacable análisis de los tópicos, antiacademicismo, individualismo anárquico, crítica universal; estas son algunas de las consecuencias de una rebelde actitud originaria.

Pero la indocilidad de aquellos jóvenes escritores de periódico no fue sólo de gabinete y tertulia; tuvo una repercusión en la plazuela. Su ideología era más política que especulativa y casi todas sus consignas tenían una inmediata relación con el poder. Este carácter eminentemente práctico de su problemática y su sincera inquietud patriótica les llevaron a intervenir en la cosa pública. Así es como aquellos aprendices de intelectual se convirtieron en alevines de jefe de partido y en opositores, más o menos inconscientes, a una cartera ministerial. Al cabo de los años Baroja y Maeztu, entre otros, negaron que el espíritu noventayochista [101] hubiera tenido una dimensión política. Pero aunque ninguno reunió

---

[101] «No ha habido nunca generación menos política que la llamada del 98.» (MAEZTU, *Frente a la República*, Madrid, 1956, pág. 113.) «Yo creo que no había entre los escritores que figuraron en la supuesta generación del 98 ninguno que fuera republicano ni socialista» (BAROJA, *Obras Completas*, ed. cit., vol. VII, pág. 446). «Casi todos nos-

las raras condiciones del estadista, los hechos son flagrantes: Azorín, Baroja y Maeztu lanzaron en diciembre de 1901 el llamado *Manifiesto de los Tres,* propugnando como panacea de los males patrios, «aplicar los conocimientos de la ciencia en general a todas las llagas sociales»[102] y, concretamente, «la enseñanza obligatoria, la fundación de cajas de crédito agrícola y la implantación del divorcio»[103]. Este era el vago y microscópico programa del nonnato partido que encontró su órgano de expresión en la efímera revista *Juventud.* Lo cierto es que casi todos los que se hicieron oir en aquella hora pudieron proclamar con Unamuno: «Yo creo ser uno de los españoles que ha hecho más política en su patria»[104].

Como hombres de acción confirmaron su condición de díscolos e inadaptados. Heredaron casi todos los tópicos regeneracionistas de Picavea,

---

otros detestábamos entonces la política» (UNAMUNO, *Obras Completas,* vol. V, pág. 332).

[102] Reproducido por GÓMEZ DE LA SERNA, Ramón, *Obras Completas,* Barcelona, 1956, vol. I, pág. 1046.

[103] GÓMEZ DE LA SERNA, Ramón, *Op. cit.,* loc. cit.

[104] UNAMUNO, Miguel de, *Obras Completas,* ed. cit., volumen III, pág. 1115.

Mallada, Isern, Labra. Morote, Gener, etc... El tono unánime de sus escritos sobre la cosa pública fue crítico y oposicionista cuando no disolvente. Carecieron de sentido constructivo. Todo negativismo es infecundo, y el político del noventa y ocho lo fue espectacularmente. A pesar de los trenos de unos y otros, la Constitución de 1876 y los usos sociales de la Restauración se mantuvieron vigentes. Desde la tribuna del Ateneo —era el 7 de diciembre de 1911—Maeztu dio fe de la decepción política de *los tres* en estos sobrios y duros términos: «Cuando cesamos de dar gritos para volver la mirada a nuestro alrededor nos encontramos dolorosamente con que las cosas seguían como antes» [105]. El fracaso fue casi absoluto. Los minúsculos programas quedaron en agua de borrajas, y las ambiciones personales en ilusiones perdidas. Cuando alguno llegó a los aledaños del Poder—Azorín fue subsecretario con el conservador Cierva en 1918, y Maeztu embajador con Primo de Rivera en 1927—ya estaban de vuelta del espíritu del 98 que, indepen-

---

[105] Maeztu, Ramiro de, *La revolución y los intelectuales*, Madrid, 1911, pág. 34.

dizado de sus formuladores, seguía gravitando, a pesar de ellos, sobre la vida española.

Si alguna concreta idea política de la rebelión noventayochista cuajó, aunque parcial, transitoria y tardíamente, fue un claro antidemocratismo que suele pasarse por alto. Ya en el *Manifiesto de los Tres* se declaraba que la unión nacional no podía hacerse en torno a un ideal democrático, porque muchos lo consideraban «como un absolutismo del número que no ha producido ni producirá la liberación de la Humanidad, sino una especie de nuevos privilegios a favor de los más audaces y de los más indelicados» [106]. La postura era muy de Baroja, quien la desarrolló reiteradamente para pedir «una dictadura inteligente» y «la supresión de las instituciones democráticas». Su conclusión es terminante: «no podemos ser liberales, debemos ser autoritarios» [107]. También Azorín tronaba contra el «dominio de la masa, el absolutismo del número» [108], y Unamuno reconocía que «pedirle al pueblo que resuelva por el

---

[106] GÓMEZ DE LA SERNA, Ramón, *Op. cit.*, loc. cit.
[107] BAROJA, Pío, *Obras Completas,* ed. cit., vol. V, pág. 31.
[108] AZORÍN, *Obras Selectas,* ed. cit., pág. 164.

voto la orientación política que le conviene, es pretender que sepa fisiología de la digestión todo el que digiere» [109]. La fórmula más sobrecogedora es la de Joaquín Costa, tan habitualmente silenciada: «Se requiere sajar, quemar, resecar, amputar, extraer pus, transfundir sangre, injertar músculo; una verdadera política quirúrgica... que tiene que ser cargo personal de un cirujano de hierro» [110]. Por eso parece inconsecuente que, cuando el golpe de Estado de Primo de Rivera interrumpe el juego parlamentario, salvo Maeztu, la minoría intelectual, y a la cabeza de ella los principales definidores del espíritu del 98, desencadenaran una lucha encarnizada, y en ocasiones soez, contra la Dictadura [111]. Tal reacción indu-

---

[109] UNAMUNO, Miguel de, *Obras Completas,* ed. cit., volumen IV, pág. 435.

[110] COSTA, Joaquín, *Oligarquía y caciquismo,* Madrid, 1902, pág. 86.

[111] Fué precisamente el más obligado a la moderada serenidad profesoral quien, en su campaña de panfletos contra Primo de Rivera, se acercó más al lenguaje tabernario. Cito según la versión francesa porque en la primera española de las *Obras Completas* (vol. IV, pág. 958) se ha suprimido este párrafo: «Tandis que la tyrannie prétorienne espagnole s'embourbe devantage et que le rufian qui la repré-

ce a pensar que se trataba de un antidemocratismo nacido de una repulsa universal contra la circunstancia más que de un natural entendimiento aristocrático de la vida. Como en todo comportamiento inspirado por una rebeldía radical, el *anti* no se contrapesaba con algún *pro* verdaderamente constructivo. Les disgustaba la democracia y el autoritarismo; su adverbio preferido era el no.

Los que con cierta razón y no poca injusticia saltaron a la vida pública escribiendo contra esto y aquello y renegando de la España constituida —dos expresiones que acuñó Unamuno—maduraron o envejecieron descontentos de su probada ineficacia, y, paradójicamente, protestantes contra su único indirecto logro: el derrocamiento de la Constitución demoliberal en 1923. No menos contradictoria fue la adhesión de algunos supervivientes a la plebeya y chabacana República en 1931, explicable acaso por lo que el nuevo régimen tenía de general derribo institucional. La

---

sente vomit, presque journellement, sur le sein de l'Espagne, les lies de sa saoulerie...» (Unamuno, Miguel, *Avant et après la révolution,* Paris, 1933, pág. 112.)

«exasperación del daño mismo»[112], según la patética expresión de Maeztu, y la totalitaria rebeldía que caracterizó al 98 desembocaron en un negativismo intelectual obstinado y en una acción política tan innegable como oposicionista e ineficaz.

4. Las inquietudes: el yo y España

Cada época tiene sus inquietudes, cada movimiento espiritual sus problemas, cada período literario sus motivos. Por eso a los tiempos los definen, entre otras notas, los temas predominantes. Los del 98 son la propia personalidad del escritor y su mundo, concretamente, el «yo» y España. Nunca se había dado entre nosotros una situación pareja, ni acaso hubiera sido históricamente posible, porque la objetividad y el mimo de la intimidad suponían, entre otras cosas, el romanticismo y el ensimismamiento. Y la nacionalización de toda problemática suponía una gran cri-

[112] Maeztu, Ramiro de, *La cruz del Sur*, en «ABC», 13-VI-34.

sis política y la sensibilización del patriotismo.
Las dos condiciones se dieron de modo singular
en la España de fin de siglo.

Los escritores del 98, náufragos rebeldes que
por principio se negaban a asirse a los escasos
restos flotantes del desastre nacional, tuvieron
que agarrarse a sí mismos como a un clavo ar-
diendo: «los guerrilleros espirituales de aquella
que se ha dado en llamar la generación del 98
—escribe Unamuno—, vislumbramos de pronto,
entre el desplome de la leyenda, nuestras propias
almas desnudas, y nos vimos Adanes españoles
avergonzados, pero a la vez, por íntima contradicción, orgullosos de nuestra desnudez» [113]. Y
desde entonces el salmantino filólogo *in partibus*
apenas hizo otra cosa que hablar de sí con el
cínico pretexto, «soy el hombre que tengo más
a mano» [114]. Como él, sus compañeros de viaje
histórico, más que pasear el espejo sthendaliano
por los caminos, fueron derramando su intimidad

[113] Unamuno, Miguel de, *Obras Completas,* ed. cit. vol. V,
página 335.
[114] Unamuno, Miguel de, *Obras Completas,* ed. cit. volumen III, pág. 469.

en los periódicos y en los libros, lenta y amorosamente; pero apenas sin pausa. Sus obras suelen ser el eufemismo de unas memorias o de un diario. En las novelas abundan los personajes autobiográficos, y muchos artículos parecen cartas abiertas a un confesor laico. Hasta los científicos cuya modestia era ejemplar—Hinojosa, Menéndez Pelayo—, emplean, como Ramón y Cajal, parte de su tinta en contarnos su vida. Los verbos se suelen conjugar en primera persona, y la firma es casi lo más importante. Este yoísmo tuvo consecuencias del más variado signo: franquía y lirismo, introspección y sinceridad, actualidad y confianza, narcisismo y autenticidad; pero también egolatría e individualismo, que es la consecuencia social del excesivo amor propio. Nos descubren con toda su riqueza al hombre concreto; pero nos legan una imagen del mundo egocéntrica y precopernicana. Por eso triunfan en el arte y fracasan en la ciencia y en la política, conmueven y no convencen, y ganan más admiradores que secuaces. Y cuando logran rebasar el círculo mágico de la intimidad, se anegan en ese «yo» macroscópico que es la patria.

La otra gran inquietud noventayochista fue España [115]. La inflación del tema no había cesado desde que en tiempos de Quevedo se detuvo el ascenso de la estrella imperial. Durante el siglo XVIII y buena parte del siguiente la cuestión se reduce a buscar remedio y explicaciones a la decadencia [116]; es decir, a nuestro lento e irreversible desplazamiento por naciones rivales. A fines del XVIII el problema de España se traslada del ámbito internacional al interior, y se plantea como una tensión entre la europeización y el españolismo. Frente a casticistas, jovellanistas y tradicionales; ilustrados, afrancesados y doceañistas se esfuerzan en presentar al país una opción entre dos Españas, la de siempre y otra distinta. Este dilema suicida escinde irreconciliablemente a las minorías y desencadena la trágica serie de las guerras civiles decimononas. La penúltima gran palabra en esta polémica sobre la esencia nacional la dijeron Menéndez Pelayo y un grupo de epígonos

---

[115] FRANCO, Dolores, *La preocupación de España en su literatura,* Madrid, 1944, especialmente pág. 264.

[116] Vid. SÁINZ RODRÍGUEZ, Pedro, *Evolución de las ideas sobre la decadencia española,* 3.ª ed., Madrid, 1962.

krausistas salvados del olvido por su temerario enfrentamiento con el genio. Fue una palabra dura; pero universitaria, casi de certamen académico, versallesca si se la compara con las sangrientas luchas fratricidas; y sobre todo, una palabra que, a pesar de su importancia—*La Ciencia Española*—, no monopolizaba todavía el diálogo intelectual.

La radical novedad de los regeneracionistas y noventayochistas fue que el tema de España se convirtió en obsesivo y lo invadió todo. «Mi vida de escritor—recuerda Maeztu—estuvo consagrada casi exclusivamente al problema de mi patria» [117]. Y Azorín declara en una de sus confesiones más citadas, «no creo que tenga un sólo libro, en los cuarenta volúmenes, ajeno a España» [118]. La sola enunciación de los títulos de unos y otros sería impresionante. El artículo más famoso de 1898, y aun de todo el siglo, es del acicalado y comprometido Silvela, *Sin pulso* [119]. Se le ha prestado aten-

---

[117] MAEZTU, Ramiro de, *Razones de una conversión,* en *Ensayos,* Buenos Aires, 1948, pág. 241.

[118] AZORÍN, *Obras Selectas,* Madrid, 1943, pág. 999.

[119] Artículo publicado en *El Tiempo,* 26-VIII-1898.

ción y aplauso por lo que tenía de diagnóstico pesimista en aquella hora de amarga desesperanza entre las masas y de insolidaria desbandada entre la joven *élite*. Pero lo históricamente revelador de este artículo es que, efectivamente, el tema único era España: todos estaban pendientes de las arterias nacionales, unos porque confiaban en la supervivencia, otros porque aguardaban el postrer latido. Nunca los españoles habían sentido tan doliente a la patria y, por eso, no es extraño que, como les acontece a tantos enfermos cardíacos consigo mismos, llegaran a imaginarla sin pulso.

Otra nota distinguía al enfoque noventayochista del problema de España: era más retórico que en ninguna otra ocasión pasada. Los jóvenes escritores que imprimen carácter al tiempo descubren el paisaje, los pueblos, los tipos, las formas dialectales, los utensilios, los cultivos, los caracteres. Cada rincón, cada hora, merecen un amoroso alto. Se ponen al desnudo, magnificadas, las pequeñas y las grandes lacras nacionales. La visión del pasado es más poética y convencional que histórica y científica. Los problemas políticos son abordados enfática, frívola y utópica-

mente, con mentalidad de aficionado y sin la imprescindible apoyatura técnica: económica, admi-
nistrativa o jurídica. Es un retroceso con relación
a Costa. El tema de España tal como nos lo brindan los definidores del espíritu noventayochista,
antes de su conversión o deserción, es un hinchado
tópico literario de límites imprecisos, incapaz de
alumbrar ninguna solución concreta; es como un
fantástico y vagaroso cúmulo que impide fijar la
posición del navegante y le veda el descubrimiento del horizonte. España ocupa tanto lugar en el
escenario mental que apenas se adivina el mundo
traspirenaico, es decir, el nivel europeo. Por eso
una fuerte dosis de aldeanismo fue inevitable en
el espíritu noventayochista.

A pesar de ser universitario, poliglota y gran
viajero, Ganivet es un ejemplo típico de esta limitación de ámbito. En su obra laten tres preocu-
paciones: Granada, España y él mismo [120]. Fue,
pues, un símbolo del noventa y ocho: vivió encar-
celado en su yo, y con el campanario de su ciudad

[120] FERNÁNDEZ ALMAGRO, Melchor, *Vida y obra de Angel
Ganivet,* 2.ª ed., Madrid, 1952, pág. 94. Vid. mi reseña en
«ABC», 3-V-53, pág. 47.

siempre a cuestas. Leyendo a Kant difícilmente podríamos reconocer la silueta de Königsberg: en cambio, Ganivet sin su paisaje apenas tiene sentido. Pugnó por franquear las barreras de lo próximo y de lo concreto, por abrirse a lo universal y a lo abstracto; pero inútilmente. Todo su pensamiento está impregnado de yoísmo, de localismo y de hispanidad. El problema de España, que fue la meta de sus más altos vuelos, considerado desde una superior perspectiva, está más cerca de lo provinciano que de lo ecuménico, del folklore que de la filosofía. Esta vocación hacia lo inmediato no fue sólo ganivetiana, sino característica del espíritu de su tiempo. Veracidad y egolatría, autenticidad y aldeanismo, poesía y quimera, pasión y miopía son las secuelas de una problemática demasiado cercana y de un acusado desvío de la función específicamente teórica: la abstracción.

5.   EL ESTILO: ESTETICISMO SIN SISTEMA

El estilo es algo dinámico, es un modo de hacer y de comportarse, una costumbre en el ejercicio de una actividad, lo que los escolásticos denominan un *habitus operativus* [121]. Pero esta cualidad de los espíritus deja indeleble impronta en sus obras, cristaliza en ellas y se convierte en un modo de ser. El estilo de cada hombre es algo que sólo se manifiesta en marcha, cuando actúa y vive; el de las obras humanas se queda quieto, aprisionado en ellas, como la forma última o principio de individualización. No se conoce a nadie mientras no se ha dado con su estilo [122] y, por extensión, algo análogo se dice de las culturas, de las naciones y de los tiempos [123]. Quizá sea un libro el artefacto que con mayor fidelidad refleja la huella de lo más espiritual, recóndito e intransferible de un autor. Por eso la estilística, que es una manera general de conocer, constitu-

---

[121] Tomás de Aquino, *Summa Theologiae*, II, I, quaest. 49 y ss.; Suárez, Francisco, *Disputationes Metaphysicae*, XLIV.

[122] Vid. De Bonald, Luis, *Du style et de la Littérature* en *Oeuvres Complètes,* ed. Migne, París, 1864, vol. III, páginas 965 y ss.

[123] García Morente, Manuel, *Idea de la Hispanidad*, tercera ed., Madrid, 1947. págs. 40 y ss.; Rothaecker, Erich, *Op. cit.,* págs. 63 y ss.; Spengler, Oswald, *La decadencia de Occidente*, trad. esp., 2.ª ed., Madrid, 1925, vol. I, página 162; etc.

7

ye, en la práctica, un monopolio de la ciencia literaria. Para proseguir la búsqueda del espíritu noventayochista es necesario aprehender, no el estilo de éste o de aquél, sino el genérico modo de expresión predominante y característico del tiempo.

En las postrimerías del siglo XIX todas las artes hispanas experimentan una renovación profunda. En nuestra chata y afrancesada arquitectura postisabelina, irrumpe el audaz y autóctono Gaudí musicalizando los volúmenes. Sobre el pobretón pintoresquismo zarzuelero levantan Albéniz y Granados y corona Falla, un edificio sonoro de popularismo sublimado y de universalización del tipismo patrio. Y el vendaval impresionista barre al amaneramiento romántico, a la falsa y teatral pintura de historia y al burgués realismo anecdótico. Son, precedidos por Beruete y Regoyos, el genial y cegador Sorolla, el oscuro y desigual Zuloaga, y el enfático y dorado Sert. En esta serie de pronunciamientos formales hay, pese a su variedad, reveladoras notas comunes: alto grado de intelectualización, culto a lo vernáculo, ímpetu revolucionario y voluntad de estilo.

En esta transformación de la expresividad, la lengua castellana no es una excepción, sino el ejemplo por excelencia. Hacia 1898 el idioma sale de la burguesa madurez galdosiana, se despereza, agita y rejuvenece. Un aire fuerte, deportivo, revolucionario y audaz estremece la insólita primavera literaria. Un nuevo léxico traído de la Universidad y del agro irrumpe caudaloso; triunfa la impetuosa metáfora, se fragmenta y comprime el antes fluvial y oratorio período, el epicentro expresivo se desplaza del epíteto al nombre, predomina el matiz sobre el gran efecto, se relaja la sintaxis, prevalece la meditación sobre la narración, y en el completo remozamiento de los géneros, el artículo, secular cenicienta literaria, asciende incontenible-mente al principado absoluto de las letras. En esta gran eclosión lingüística se perfilan dos corrientes muy dispares: la modernista y la clasicista o arcaizante, y dentro de ellas cada escritor forja su propio idioma de un modo personal. Pero en el fondo de todos, y como gran base común, hay algo nuevo y poderoso: una acusadísima y generalizada voluntad de estilo. Esta es una de las notas más rotundas y características del espíritu del tiempo.

La lucha noventayochista por el estilo tiene una doble motivación, estética y lógica a la vez, porque la materia prima artística no se extrae tanto del filón emocional cuanto del ideológico. El esfuerzo expresivo se plantea como una tensión entre lo conceptual y lo modal, entre el fondo y la forma, entre el *qué* y el *cómo*. Ya no se trata sólo de expresarse bien y conmovedoramente como en la hora del romanticismo, sino de decir algo. Por eso los géneros literarios predilectos son el ensayo y el artículo. Incluso los prosadores más esteticistas y los poetas más puros se rinden al sortilegio del periodismo crítico [124] y aún de la especulación con pretensiones filosóficas [125]. La literatura noventayochista tiene una densidad ideológica sin proporcionado paralelo en la historia de la lengua castellana.

Desgraciadamente, la joven minoría escritora

[124] VALLE-INCLÁN, Ramón, *Publicaciones periodísticas anteriores a 1895*, Méjico, 1952.
[125] VALLE-INCLÁN, Ramón, *La lámpara maravillosa*, Madrid, 1916, en *Obras Completas*, Madrid, 1944, vol. I, páginas 773 y ss.; MACHADO, Antonio, *Juan de Mairena. Sentencias, donaires, apuntes y recuerdos de un profesor apócrifo*, en *Obras Completas*, Madrid, 1951, págs. 989 y ss.

que logra conquistar el interés general no es sólo autodidacta, sino que vive, salvo Unamuno, de espaldas a la Universidad, carece de una formación sólida y rigurosa, desconoce la especialización, y está casi totalmente ajena al gran saber europeo e influenciada por lecturas irregularmente seleccionadas, dispares e inconexas. Sus meditaciones versan preferentemente sobre Derecho, Sociología e Historia; pero les falta la base científica imprescindible para rebasar el nivel de la vulgarización o de la intuición aislada e inexplotada. Por eso la literatura del 98 no pudo ser conceptualmente rigurosa. Se luchó por la claridad, la belleza y el efecto inmediato, pero se renunció a la erudición, a la cita puntual, a la exhaustividad y al sistematismo. Se manipula ideas acaso con tanta pretensión de belleza como de verdad; pero con más fortuna estética que lógica. «Los del 98 —reconoce uno de sus apologistas—hacen literatura ante todo, y porque no excluyen ningún tema de su juego literario es por lo que nace el ensayo, modo irresponsable y sugestivo de tratar lo más arduo. Se hace Filosofía literaria, Economía literaria, Historia literaria, Geografía literaria» [126]. Este deslizamiento hacia lo formal se realiza a expensas de la precisión conceptual, y así es como el pensamiento va insensiblemente degenerando en obra de arte. A este límite se llega cuando lo que importa no es lo que se dice, sino la manera de decirlo; no la veracidad de los juicios, sino su mutua concordancia y armonía, su novedad y su capacidad de sugestión. Entonces el saber se torna lirismo y el acento recae más sobre el autor que sobre la tesis. De las nociones de materia y forma pocos se sienten deudores del estagirita. En cambio, Aquiles y Ulises hacen pensar en la problemática barba de Homero. Es el sino de las ideologías noventayochistas: van ligadas a su creador como la oda al poeta. Y es porque en ellas el pensamiento sigue las leyes de la obra de arte. Esto suele acontecer con el ensayo, donde, además, las exigencias estéticas conducen al abuso de la metáfora, lo que obliga a lanzar al rigor por la borda.

En este proceso trágico, el artículo de periódico

---

[126] FERNÁNDEZ ALMAGRO, Melchor, *Vida y literatura de Valle-Inclán,* ed. cit., pág. 54.

o microensayo actual [127], es el final inevitable. Y la literatura y la doctrina noventayochista se hacen principalmente en la Prensa. El pensamiento de Azorín, Baroja, Bueno, Maeztu y Unamuno, aunque luego recogido en libros, más o menos «articulados», se publicó originalmente en las columnas de los diarios. A esta dispersión formal, tipográfica, correspondió otra más profunda, ideológica. En ningún noventayochista hay una doctrina abstracta, coherente y cabal. Incluso Unamuno, extraordinariamente dotado para la especulación pura, se quedó en «hondas visiones emparentadas con la filosofía» [128]. El asistematismo y aún la contradicción son dos notas secundarias; pero muy características del espíritu del tiempo, y muy graves, porque como no ha cesado de repetirse «toda verdad lo es dentro de un sistema» [129]. Y la constante vinculación a un *aquí*

[127] FERNÁNDEZ DE LA MORA, Gonzalo, *El artículo como fragmento*, Madrid, 1955, pág. 14.

[128] MARÍAS, Julián, *Miguel de Unamuno*, 2.ª ed., Buenos Aires, 1950, pág. 19. En el mismo sentido BAREA, Arturo, *Unamuno*, Cambridge, 1952, pág. 7, y mi artículo *El 98 sin sistema* en «ABC», 27-III-53.

[129] HEGEL, G. W. F., *Phänomenologie des Geistes,* ed. Hoffmeister, Hamburgo, 1952, pág. 12.

y un *ahora* muy próximos casi siempre les impidió remontarse a la verdadera meditación filosófica que es la hecha *sub specie aeternitatis*. Los escritores noventayochistas no se limitaron, como Galdós, a contar o a predicar con tácitas moralejas literarias; afirmaron resueltamente; pero sin la radicalidad, la intemporalidad, la exactitud y la trabazón del auténtico pensador. No fueron escépticos ni historicistas, sino más bien audaces y desavisados. Y es que, pese a sus lecturas, sabían poco. «Lo que se observa—escribía Unamuno—entre una parte de nuestros jóvenes literatos, no es horror a la erudición y a la bibliofilia, sino horror a la ciencia y al estudio» [130]. Era una confirmación del famoso diagnóstico de Menéndez Pelayo: «De sofistas y oradores de Ateneo estamos hartos en España. La generación presente se formó en los clubs y en las cátedras de los krausistas; la generación siguiente si algo ha de valer, debe formarse en las bibliotecas: faltan estudios sólidos

---

[130] UNAMUNO, Miguel de, *Obras Completas,* ed. cit., volumen V, pág. 721. Idem AZORÍN, *Obras Selectas,* ed. cit., página 144.

y macizos»[131]. Creyeron rebelarse contra la frivolidad[132]; pero, en definitiva, lo hicieron frívolamente. «El tipo medio del escritor español—denunciaba el Azorín mozo—se caracteriza por la impremeditación. Desdeña toda preparación detenida, toda reflexión laboriosa»[133]. «El cargo fundamental—notaba Maeztu—que a todos los escritores españoles puede dirigírsenos... no es la mala fe, es la ligereza»[134]. Con ello malhirieron al clasicismo científico y profesoral que practicaban Menéndez Pelayo, Hinojosa, Ramón y Cajal, Torres Quevedo y Ribera. Así fue como, apenas iniciada,

---

[131] MENÉNDEZ PELAYO, Marcelino, *La Ciencia Española*, Ed. Nacional, Madrid, 1953, vol. I, pág. 120.

[132] «Lo que nosotros hemos combatido con más tesón, con más denuedo, ha sido la frivolidad» (AZORÍN, *Obras Selectas*, ed. cit., pág. 995).

[133] AZORÍN, *Obras Completas*, Madrid, 1947, vol. I, página 172.

[134] MAEZTU, Ramiro de, *España y Europa*, ed. cit., página 23. Y en otro lugar: «Los periodistas formamos nuestra cultura como podemos buenamente, leyendo libros que caen en nuestras manos. La educación sistemática y ordenada nos es imposible.» *(Op. cit.,* pág. 28.)* Y en 1911 dijo a los ateneístas: «Lo característico, en una palabra, de las clases intelectuales españolas es que no son intelectuales.» *(La revolución y los intelectuales,* Madrid, 1911, pág. 26.)

se interrumpió la puesta de nuestra vida universitaria al nivel europeo. Desde el punto de vista del saber científico, los noventayochistas significaron un retroceso porque aunque generalizaron la inquietud intelectual contribuyendo al renacimiento cultural de nuestros días, fueron parcialmente responsables de que otros muchos hayan reincidido después en el esteticismo, la frivolidad y la falta de sistema.

Ramiro de Maeztu, al enfrentarse ,desde la perspectiva de la madurez, con este tremendo problema de su tiempo juvenil, dio un insoslayable aunque acaso exagerado testimonio del fuerte esteticismo noventayochista. «En 1898—escribe—acaeció en España una catástrofe tan grave como la pérdida de nuestras escuadras: el triunfo entre los escritores jóvenes de la divisa del arte por el arte» [135]. Y dos lustros después añade: «Cuando me acuerdo de aquellos años de Madrid, entre el 1897 y el 1905, me parece haber vivido en el infierno, y no es que las gentes fueran malas, sino que estaban infeccionadas por la idea monstruosa del

---

[135] Maeztu, Ramiro de, *Las letras y la vida en la España de entreguerras,* Madrid, 1958, pág. 30.

arte puro» [136]. Este juicio, que se compadece mal
con la motivación preferentemente intelectual y
social de tantas páginas del tiempo, hay que inter-
pretarlo en el sentido de nuestro análisis, es decir,
como confesión de que efectivamente se impusieron
la literatura sobre el pensamiento, el ensueño sobre
la teoría, la superficialidad sobre la radicalidad y la
improvisación sobre el estudio. El hecho hubiera
sido inocente si todos los escritores del 98 se hubieran encerrado, como Gabriel Miró, en los límites
de la creación pura. Entonces habría que juzgarlos
con criterios exclusivamente estéticos, y en este
plano es preciso proclamar muy alta y categóri-
camente que se alcanzaron cimas de perfección
comparables alguna vez a las del Siglo de Oro.
Pero el carácter didáctico de una buena parte de
la literatura noventayochista impone, además, una
valoración conceptual. Y, en este trance, preciso
es reconocer que el pensamiento brotado al filo
de la gran crisis finisecular, y definidor del espíritu
del tiempo, carece de interés para las ciencias,
salvo para la Historia. Sólo ciertos escritos posteriores de algún noventayochista arrepentido o ex-

---

[136] Maeztu, Ramiro de, *Op. cit.*, pág. 63.

cepcional, como Unamuno y Maeztu, merecen ser leídos por un buscador de verdades abstractas. Desde el punto de vista de la ciencia es muy verdadero el juicio de Rey Pastor: «La asandereada generación, lejos de abrir, como se pretende, las puertas a una nueva España, agrupó en verdad a los últimos supervivientes de una vieja España castiza de literatos y artistas, vueltos de espaldas al mundo» [137].

6. LAS CREENCIAS: DEÍSMO Y EGOLATRÍA

Durante todo el siglo XIX no se interrumpe el proceso de desintegración de las creencias iniciado con la Ilustración. Un cierto escepticismo básico es casi consustancial con las minorías del ochocientos. La situación no se altera esencialmente en la coyuntura finisecular: «es mal de nuestro siglo—escribe Azorín en 1894—, así como en los pasados lo fue la credulidad cerrada, la confianza

[137] REY PASTOR, Julio, *Menéndez Pelayo y la ciencia española* en *Homenaje a Marcelino Menéndez Pelayo*, Madrid, 1956, pág. 96.

excesiva en un ideal, muerto para nosotros, que no creemos en nada o creemos sólo por fuera, que es peor» [138]. Para Angel Ganivet el hombre es un bloque errático sin sentido: «yo creo que no tenemos ningún fin que cumplir» [139]. «No hay nada estable ni cierto, ni inconmovible» [140], hacía decir Azorín a Yuste. Incertidumbre, contradicción y agonía son las tres dimensiones del drama unamuniano: el interminable y tenso rosario de interrogantes que es el *Sentimiento trágico de la vida* se quintaesencia en una preliminar y eterna cuestión: ¿qué es la verdad? [141]. La situación está insuperablemente resumida en el *Manifiesto de los Tres:* «estamos asistiendo a la bancarrota de los dogmas» [142]. Sobre este fondo, no es sorprendente que la radical rebeldía de los noventayochistas les acabe de predisponer contra la aceptación de cualquier credo, y concretamente, del tradicionalmente aceptado entre nosotros, el de Nicea.

[138] Azorín, *Obras Completas,* ed. cit., vol. I, pág. 71.

[139] Ganivet, Angel, *Obras Completas,* vol. II, pág. 1024.

[140] Azorín, *Obras Selectas,* ed. cit., pág. 102.

[141] Unamuno, Miguel de, *Obras Completas,* ed. cit., volumen IV, pág. 582.

[142] Gómez de la Serna, Ramón, *Op. cit.,* pág. 1045.

El clima general de secularización está conmovedoramente recogido por Menéndez Pelayo en 1882: «Dentro de poco, si Dios no lo remedia, veremos, bajo una monarquía católica, negado en las leyes el dogma y la esperanza de la resurrección; y ni aún quedará a los católicos españoles el consuelo de que descansen sus cenizas a la sombra de la Cruz y en tierra no profanada» [143]. Así llega a escribir Jeschke que «la falta de fe a causa del escepticismo radical es el rasgo fundamental de los noventayochistas» [144]. Pero esta tesis de una extensión abrumadora, no es enteramente cierta, si se la interpreta desde el punto de vista religioso. Don Marcelino había estudiado a sus compatriotas según la distinción canónica entre ortodoxos y heterodoxos. A fines de siglo se empieza a sustituir la tajante dicotomía fidelidad-herejía por otra más difusa y laizante, sensiblemente antidogmática: religiosidad-irreligiosidad. Es absolutamente cierto que los portavoces del espíritu noven-

---

[143] MENÉNDEZ PELAYO, Marcelino, *Historia de los heterodoxos españoles,* Ed. Nacional, vol. VI, Madrid, 1948, página 443.

[144] JESCHKE, Hans, *Op. cit.,* pág. 87.

tayochista «acaban por separarse de la pasiva creencia infantil y aun de toda práctica católica regular» [145]; pero no de una honda preocupación trascendente. No son creyentes en la acepción restringida del término; pero respiran sincera y auténticamente una atmósfera plena de referencias a la divinidad. «¡Hay un Dios!» [146], exclamaba Costa. Este impreciso deísmo suele estar matizado por un cierto catolicismo ancestral. Miguel de Unamuno con su cristianismo personal y agónico es el ejemplo típico; en todos los grandes nódulos de su obra hay una religación con Dios. El mismo Ganivet «sin ser católico» [147], en un pasaje patético, brinda con Pío Cid, «porque al amigo Orellana no le falta la fe jamás» [148]. Ramón del Valle-Inclán nos dejó en Bradomín—«feo, católico y sentimental» [149]—

---

[145] LAÍN, Pedro, *La generación del 98*, ed. cit., pág. 122.

[146] COSTA, Joaquín, *Maestro, Escuela y Patria*, Madrid, 1916, pág. 48.

[147] GANIVET, Angel, *Obras Completas*, ed. cit., vol. II, página 1021.

[148] GANIVET, Angel, *Obras Completas*, ed. cit., vol. II, página 75.

[149] VALLE-INCLÁN, Ramón, *Obras Completas*, vol. I, página 196.

un ejemplo de rara religiosidad blasfematoria y de lascivia mística. Y Ramiro de Maeztu, cuyo ferviente cristianismo iba a quedar a plena luz después de su conversión, confiesa en un momento solemne: «Permanecí alejado», pero «no se rompieron del todo los lazos que me unían a la Iglesia» [150]. Incluso la dogmatofagia del anticlerical Baroja entraña un incurable deseo de «masticar» y «digerir los dogmas» [151]. Lo típico del 98 no es ni la indiferencia ni la piedad; ni la persecución ni la apología; ni el rencor jacobino ni la entrega apostólica; es un vago sentido heterodoxo, pero religioso, de la existencia, que contrasta favorablemente con el frío laicismo positivista de la izquierda intelectual española de mediados del siglo XIX y con el anticlericalismo revolucionario de sus resentidos demagogos.

No es cierto que la religión sea una droga para el sostenimiento de las almas débiles; pero, inversamente, sí es verdad que la irreligiosidad sólo

---

[150] Maeztu, Ramiro de, *Razones de una conversión* en «Ensayos», ed. cit., págs. 242 y 240, respectivamente.
[151] Baroja, Pío, *Obras Completas,* vol. V, pág. 158.

puede soportarse auténticamente con una gran fe en las fuerzas humanas. La falta de dogmas se compensa en el espíritu del 98 con la egolatría. El apoyo que no encuentra en un plano exterior y sobrenatural, la joven minoría escritora lo busca en sí misma, en su intimidad. Una robusta fe en el propio valer les dio ímpetu para vivir. Según Maeztu, estaban convencidos de que «tenían tanto talento o más que los mejores de otros países» [152].

Y Azorín, refiriéndose a la promoción anterior, escribía: «valemos más, mucho más que ellos» [153]. Esta fe, que pudo conducirles a la acción fecunda, se quedó casi siempre en culto al yo: «Querer negarlo sería hipócrita—escribe Unamno—. Los que en 1898 saltamos, renegando contra la España constituida y poniendo al desnudo las lacerias de la patria, éramos, quién más quién menos, unos ególatras» [154]. Baroja lo reconoció explícitamente: «he querido lucir y sacar al aire mi vanidad

---

[152] Maeztu, Ramiro de, *Patriotismo,* en «ABC», 6-VII-34.
[153] Azorín, citado por Casares. *Crítica profana,* cuarta edición, Buenos Aires, 1946, pág. 11.
[154] Unamuno, Miguel de, *Obras Completas,* vol. V, página 331. Vid. también vol. III, pág. 470.

8

y mi egotismo» [155]. «Exalté el orgullo» [156], recordaba Valle-Inclán. «Tu fe se llama egoísmo» [157], exclamaba un personaje de Ganivet. También lo había visto Azorín en 1902: «Hay en todos una susceptibilidad, un orgullo y un egoísmo extraordinarios. En Madrid no se puede hacer crítica literaria sincera: no hay un solo escritor que sepa remontarse por encima de una censura» [158]. «Fue aquélla—resume Maeztu—la conspiración de los elogios, aún más funesta que la del silencio. No es extraño que durante algún tiempo Azorín, Baroja y yo pensaramos seriamente en publicar una revista que llamamos por tanto *Los tres*. ¡Oh candidez de la soberbia» [159]. La más firme creencia de los noventayochistas fue la fe en sí mismos. Frente

---

[155] BAROJA, Pío, *Obras Completas,* ed. cit., vol. V, página 156. Y añade: «Yo de humilde no tengo ni he tenido más que rachas un poco budistas *(Op. cit.,* pág. 158).

[156] VALLE-INCLÁN, Ramón, *Obras Completas,* ed. cit., volumen I, pág. 778.

[157] GANIVET, Angel, *Obras Completas,* ed. cit., vol. II, página 755.

[158] AZORÍN, *Obras Selectas,* ed. cit., pág. 155.

[159] MAEZTU, Ramiro de, *La Revolución y los intelectuales,* Madrid, 1911, pág. 33. Vid. *Sobre el egotismo,* tres artículos en la «Correspondencia de España», 31 de agosto, 2 y 4 de septiembre de 1907.

a la humildad y la entrega a la gracia, típicamente
cristianas, los noventayochistas afirmaron la soberbia y la voluntad pura. Esta confianza en el yo,
al extenderse al gran tema del 98—España—cris-
talizó en lo que Maeztu solía llamar el «orgullo
nacional» u «orgullo hispánico» [160], que una larga
serie de desilusiones fue luego reduciendo a «dolor
de España» y ansia de regeneración. La tremenda
egolatría hizo de algunos, como Baroja y Unamuno, personajes hirsutos e insociables. A otros la
desproporción entre las esperanzas que pusieron
en sí mismos y el balance de su propia vida les
dejó un poso de indisoluble amargura en el fondo
del alma. Pero lo más grave fue que este desen-
fadado amor propio estrechó el campo de sus pre-
ocupaciones hasta acentuar el yoísmo de modo
abusivo y absorbente.

7. Los ideales: una obra y otra España

Los hombres, que, hipersensibilizados por la
derrota, y rebeldes frente a la circunstancia, po-

---

[160] Artículos de Maeztu en *Nuevo Mundo*, citados *in
extenso* por Díaz-Plaja, *Op. cit.*, págs. 95-98.

larizaron su inquietud hacia el yo y España, con un idioma renovado y voluntad de estilo y de verdad, sin más bagaje dogmático que una vaga religiosidad y una declarada fe en sí mismos, ¿qué deseaban? «Entonces—piensa Maeztu de su primera navegación—... los jóvenes nos decíamos unos a otros que carecíamos de ideal»[161]. También Baroja, que se confesaba «sin ideal»[162] al finalizar el siglo, escribe más tarde: «¿A dónde vamos? A ningún lado... Lo único que podemos dar es lo que tenemos. Un ansia dolorosa, con anhelo inconcreto por un ideal también inconcreto»[163]. Y en el *Manifiesto de los Tres* se declaraba: «Esta gente joven no puede unir sus esfuerzos, porque no es posible que tenga un ideal común»[164]. Efectivamente no tenían un ideal trabado y último, pero sí dos ambiciones auténticas: una obra mejor y otra España. Extremoso, como

---

[161] Maeztu, Ramiro de, *En vísperas de la tragedia,* Madrid, 1941, pág. 183.

[162] Baroja, Pío, *Obras Completas,* ed. cit., vol. VIII, página 857.

[163] Baroja, Pío, *No nos comprendemos* (1-IX-1903), artículo reproducido por Granjel, *Op. cit.,* pág. 330.

[164] Gómez de la Serna, Ramón, *Op. cit.,* pág. 1045.

de ordinario, Baroja escribe: «¿Había algo de común en la generación del 98? Yo creo que nada. El único ideal era que todos aspiraban a hacer algo que estuviese bien» [165]. Este algo era una obra.

Todo gran creador lucha por objetivarse en una obra perfecta: bella para el artista puro, verdadera para el científico. El tipo predominante entre los jóvenes escritores españoles de fin de siglo es el ensayista—frágil injerto de sabio y poeta—, y su habitual producto literario es el artículo, género muy uncido a la actualidad y, consecuentemente, más bien improvisado y efímero, dos notas que alejan de la perfección. A pesar de esta básica predisposición negativa, los noventayochistas se entregan de verdad a su obra, y a lograrla consagran lo mejor de la vida. Su fertilidad es notable. Los escritos no olvidados de Baroja ocupan ocho grandes volúmenes con casi once mil páginas; los de Azorín anteriores a 1947 otros ocho con más de nueve mil páginas; dos terceras partes de los de Unamuno, llenan seis apretados tomos con casi siete mil páginas, y una selección de los de Maeztu cubrirá veintiséis volúmenes con

---

[165] BAROJA, Pío, *Obras Completas,* vol. V, pág. 1241.

cerca de nueve mil páginas. Esta simple aprecia-
ción cuantitativa basta para probar una dedicación
sincera y una rigurosa profesionalización del quehacer literario. Trabajaban uno a uno los artículos,
y luego, velando por su perennidad, los agrupaban
con la avaricia del *croupier* en libros hechos y derechos.

Evidentemente, su esteticismo les llevó a ganar,
antes que otra cosa, la gloria literaria. La buscada
perfección para su obra era, en primer término,
formal. Vivieron con Valle-Inclán «el empeño
febril por alcanzar la expresión evocadora» [166], y
sintieron cómo su «alma, en la cárcel de barro,
temblaba con la angustia de ser muda» [167]. Incluso
Maeztu, el menos atildado y lírico, declaraba en
nombre de los escritores de su tiempo: «Necesita-
mos... crear obras bellas» [168]. Y en *El escultor de
su alma* encontraron una alegoría dramática de la
entrega a ese egregio destino que acaba y empieza
en la azorante confesión ganivetiana: «Yo quiero

---

[166] VALLE-INCLÁN, Ramón, *Obras Completas,* vol. I, página 739.
[167] Idem, *Op. cit.,* loc. cit.
[168] MAEZTU, Ramiro de, *España y Europa,* ed. cit., página 40.

crear» [169]. El claro vencimiento hacia la vertiente
esteticista no excluyó un cierto empeño de calidad
conceptual. Su literatura didáctica está elaborada
con toscos utensilios; pero con devoción. Como
decía Azorín en su discurso de ingreso en la Real
Academia Española, «el amor del operario a su
profesión es lo que más importa en los oficios liberales o mecánicos..., la obra literaria debe ser per-
severancia y amor» [170].

Cuando la literatura es una actividad deportiva
o marginal—un *Nebenberuf,* según la intraducible
expresión germana—es compatible con todas las
formas de vida, pero cuando es la profesión exclusiva, suele implicar un comportamiento social
que varía de acuerdo con el medio y la época. El
literato profesional decimonono se sentía moralmente obligado a la bohemia. Los del 98, a pesar
de su modesto origen burgués, no cayeron en la
fácil tentación del chambergo, las melenas, la cha-
lina, la chaqueta de terciopelo, la pipa y la buhar-
dilla de Puccini. Respiraron a pulmón lleno la at-

---

[169] GANIVET, Angel, *Obras Completas,* ed. cit., vol. II,
página 744. Sobre el dolor de crear, vid. pág. 932.
[170] AZORÍN, *Obras Selectas,* ed. cit., págs. 621-2.

mósfera de café y usaron a veces recursos efectistas como el paraguas rojo de Azorín, la boina caída de Baroja, la barba nazarena de Valle-Inclán y el cuellialto chaleco de Unamuno; pero estaban bastante lejos del arquetipo teatral que encarnó, anacrónico y perseverante, un Emilio Carrere, por ejemplo. Tenían una conciencia muy acusadamente aristocrática—en la acepción etimológica del vocablo— y eran demasiado modernos para abandonarse a la bohemia. En esto, como en tantas otras cosas, Ganivet fue precursor y guía. «Me gusta—escribe—lo bueno, lo selecto y aun lo aristocrático, pero no querría ser aristócrata por nada del mundo» [171]. Azorín llega más lejos en las consecuencias de su complejo de superioridad: «Y es preciso destruir el mal, ser sinceros, ser audaces, no contemporizar, no transigir, ¡marchar hacia adelante con toda la brutalidad de quien se siente superior a otros!» [172]. Los noventayochistas están más cerca del escritor renacentista o del ilustrado dieciochesco que del bohemio decimonono, y retornan a la tradición

[171] GANIVET, Angel, *Obras Completas,* ed. cit., vol. II, página 905.

[172] AZORÍN, *Obras Selectas,* ed. cit., pág. 166.

del *hombre de letras*. Es lástima que ciertas veleidades políticas y el pragmatismo de una sociedad materializada no les ayudaran siempre a alcanzar el ideal vital clásico del encumbrado e insobornable señorío literario.

Junto a la nobilísima ambición de crear obras de calidad, un gran deseo es común a la gente del 98: otra España. Pero suele ser un anhelo inconcreto que en cada individuo tiene matices propios. De ahí la imposibilidad de reconstruir un proyecto de vida nacional acabado y coherente con los escritos noventayochistas. Su coincidencia básica estriba en rechazar la España dada, y en ansiar otra diferente. La crítica es todavía más cruel y extremosa que la de sus precursores los regeneracionistas como Gener y Mallada [173]. Bastan los epígrafes para reflejar la violenta repulsa: *Sobre el marasmo actual de España* [174] se titula un artículo publicado por Unamuno en 1895; *Parálisis progresiva* [175], otro de Maeztu de 1897;

---

[173] GENER, Pompeyo, *Herejías* (1887), y MALLADA, Lucas, *Los males de la patria* (1890).
[174] En *Obras Completas*, ed. cit., vol. III, págs. 97 a 113.
[175] En *Hacia otra España*, Bilbao, 1889, págs. 21 a 23.

¡Triste país! [176], uno contemporáneo de Baroja; todos dignos rivales del pesimista y censorio *Sin pulso* de Silvela. El anarquizante Azorín juvenil tiene dos páginas tan tremendas como injustas, que se inician con la confesión: «Hemos llegado a un estado de parálisis increíble», y concluyen con la no menos desesperanzada, «el cansancio se apodera de todos» [177]. Nada se salva de su airada quema: ni la justicia, ni las finanzas, ni el ejército, ni la religión, ni la literatura. En estas inhóspitas prosas arraigan los brutales versos de Antonio Machado: «esa España inferior, que ora y bosteza, vieja y tahúr zaragatera y triste» [178].

La recusación de lo existente es tan unánime y rotunda como divergentes y nebulosos son los proyectos. La cuestión previa es la de dilucidar si esa «otra España» [179], según la triunfante expresión de Maeztu, suponía una simple transformación o una alteración radical de las esencias

---

[176] En *Obras Completas,* ed. cit., vol. V, págs. 48 y 49.

[177] Azorín, *Obras Completas,* ed. cit., vol. I, págs. 168 a 170.

[178] Machado, Antonio, *Obras Completas,* Madrid, 1951, página 816.

[179] Maeztu, Ramiro de, *Hacia otra España,* Bilbao, 1899.

nacionales. El espíritu del 98 no es totalmente insolidario de la Historia de España—parcialmente estimada aunque sin entusiasmo—sino del inmediato ayer: «En el período del 1898 a 1900 nos encontramos de pronto reunidos en Madrid una porción de gentes que tenían como norma pensar que el pasado reciente no existía» [180]. La gran herencia nacional no es desechada en bloque. Por eso pensaba Ganivet en una «restauración» [181], y Azorín en una «palingenesia de España» [182]. Unamuno lo predicó incansable: «un pueblo nuevo tenemos que hacernos, sacándolo de nuestro propio fondo» [183]. Y Baroja lo reiteró sin paliativos: «Yo quisiera que España fuera muy moderna, persistiendo en su línea antigua» [184]. La piedra de toque era Europa. ¿Había que remedarla negándonos, si preciso fuera? No: «tenemos que euro-

---

[180] BAROJA, Pío, *Obras Completas,* ed. cit., vol. V, página 204.

[181] GANIVET, Angel, *Obras Completas,* ed. cit., vol. I, página 217.

[182] AZORÍN, *Obras Selectas,* ed. cit., pág. 981.

[183] UNAMUNO, Miguel de, *Obras Completas,* ed. cit., volumen IV, pág. 409.

[184] BAROJA, Pío, *Obras Completas,* vol. V, pág. 519.

peizarnos y chapuzarnos en pueblo»[185]. Es la misma tesis que Costa deduce al cabo de su magna encuesta: «europeizarnos, pero sin desespañolizarnos»[186]. La alteración nacional implicaba, pues, la incorporación de nuevos valores; pero también el respeto de algunos entrañables y rancios. Desgraciadamente la mayoría de estos últimos fueron o ignorados o mal comprendidos. La idea noventayochista del pasado patrio fue muy insatisfactoria y confusa. Su esclarecimiento suponía la asimilación de la ingente obra menendezpelayista. Por eso fue tan tardío el descubrimiento maeztuano de la Hispanidad.

El desmesurado criticismo a la España constituida puso en entredicho el patriotismo de la joven minoría escritora[187]. Para responder a las acusaciones de traición o desamor, los noventayochistas esgrimieron una distinción efectista y hábil: patriotismo y patrioterismo. De Azorín, que

[185] UNAMUNO, Miguel de, *Obras Completas,* ed. cit., volumen II, pág. 111.

[186] COSTA, Joaquín, *Op. cit.,* pág. 711.

[187] Vid. ALTAMIRA, Rafael, *El problema actual del patriotismo* en «La España Moderna», vol. CXVIII, especialmente pág. 168.

se ha debatido largamente con el tema, procede este importante texto: «Lo que los escritores de 1898 querían era, no un patriotismo bullanguero y aparatoso, sino serio, digno, sólido, perdurable» [188]. Y a renglón seguido, todos habrían repetido con Baroja: «Tengo normalmente la preocupación de desear el mayor bien para mi país; pero no el patriotismo de mentir» [189]; «yo quisiera que España fuera el mejor rincón del mundo» [190]. No amaban, pues, a su nación como pasado o como presente, sino más bien como futuro. Era una pasión quijotesca, sin objeto realmente existente y para la cual todo contacto con los hechos acarreaba desazón y desengaño. El suyo era un amor dinámico y, por ello, amargo y en perpetua crisis; un sentimiento que, como escribe Azorín, «comienza apoyándose en el más vivo y lacerante dolor» [191], y «no excluye la crítica ni hace distingos

---

[188] AZORÍN, *Obras Selectas,* ed. cit., pág. 999.
[189] BAROJA, *Obras Completas,* ed. cit., vol. V, pág. 168. Vid. págs. 894 y ss.
[190] Idem, *Op. cit.,* loc. cit.
[191] AZORÍN, *Concepto del patriotismo,* artículo reproducido por Federico de ONÍS, *Ensayos sobre el sentido de la cultura española,* Madrid, 1932, pág. 271.

entre la hecha en casa y la hecha fuera de casa» [192]. Frente al patriotismo estático, ciego, ingenuo, vanidoso, hiperbólico e indiscriminado, propugnaron el dinámico, crítico, racional, dolorido, realista y selectivo.

Pero el objeto de este amor, esa otra España por venir, no rebasó jamás el estadio de vaga ansiedad. No se formularon programas dignos de este nombre, sino buenos deseos y arbitrismos poco prácticos. Y siempre predominó el empeño reprobatorio. La «otra España» del 98 es más una negación que una afirmación política, y por eso no alcanza el alto rango de utopía. Y su aspecto positivo, el casticismo esencial, más o menos africanizante, postulado precisamente en una hora crítica para las instituciones y las técnicas patrias y, sin embargo, esplendorosa para las transpirenaicas, casi parece, como escribe Rey Pastor, una «ironía macabra» [193]. Con su patriotismo crítico los noventayochistas lograron certeros diagnósticos y situaron su amor a la patria en un nivel de autenticidad; pero, a cambio, disiparon el entusiasmo, derriba-

---

[192] Azorín, *Los valores literarios,* Madrid, 1913, pág. 322.
[193] Rey Pastor, Julio, *Op. cit.* pág. 99.

ron saludables creencias, exageraron los morbos,
sembraron semillas de anarquía, desecharon pre-
cipitadamente materiales nobilísimos y malgasta-
ron no poco ímpetu en la pura disección y el va-
poroso ensueño. Estas son la cara y la cruz de un
patriotismo tan verdadero como parcial y tan respetable como incompleto. No fue, en suma, una
pasión lograda, sino una sed insatisfecha y un angustioso vacío. Visto desde la altura, se nos manifiesta como el hueco que deja en un espíritu hipersensible, una patria entrevista, deseada y ausente.

8. EL CLIMA: LA LIBERTAD

En una recoleta página sentenciaba Schopenhauer que al pensamiento le acontece lo mismo
que a las delicadas flores alpinas: para crecer,
necesita del aire libre y de un horizonte abier-
to [194]. El espíritu del 98 fue posible gracias al clima liberal de la Restauración. Ni la excitante inquietud, ni la despiadada sinceridad, ni el juvenil

---

[194] SCHOPENHAUER, Arthur, *Ueber die Universitätsphilo-
sophie,* en «Sämtliche Werke», ed. cit., vol. VI, pág. 157.

brío, ni la originalidad desgarrada hubieran llegado a brotar sin la espléndida y peligrosa libertad que con largueza otorgó a nuestro país la canovista Constitución de 1876. Esta ley, de insólita vigencia para el paralelo de Madrid, reconocía en su parte dogmática la inmunidad personal, la inviolabilidad de domicilio y las libertades de sufragio, cultos, profesión, comunicación, expresión, asociación y petición. Todos estos derechos fundamentales eran ciertos y practicables. La tribuna, la Prensa y el libro no estaban sujetos a otra censura que la de los jueces, y los españoles se agrupaban en clubs o partidos sin la menor cortapisa policíaca. El poder público era un protagonista más, aunque cualificado, en el gran diálogo nacional: respondía a las interpelaciones, encajaba las críticas, respetaba las opiniones adversas y, llegado el caso, hacía contrito mutis.

Los que nacieron a la Historia al filo del Desastre se encontraron con el *habitat* propicio. Nada coartó su ímpetu y su voluntad de ser. Como silbantes geiseres se proyectaron sobre lo azul sin alcanzar los generosos límites que a la acción individual ponían los códigos. Se definieron negando y luchando. Ningún vallado ni mordaza entorpeció sus más de una vez locos y zigzagueantes movimientos. Fue una hora de expansión y de aventura, «una época de esplendor del alma española... que no puede designarse con otro signo que el de liberalismo»[195], y en la que, como atestigua Baroja, «todo se podía intentar y decir en la esfera del pensamiento»[196]. Las más feroces críticas de las instituciones, las conductas y las gentes se hicieron sin el menor peligro de persecución, y se adoptaban las posturas más personales y revolucionarias sin otro riesgo que el del propio ridículo. La oleada noventayochista, sin topar con arrecifes ni diques, humedeció cuanta arena pudo hasta dejar, exhausta, sobre las playas de nuestra Historia, un manso y espumoso ribete testigo de su hálito postrero. Sólo los españoles de la Contrarreforma disfrutaron de un privilegio análogo: llegaron hasta donde pudieron sin que los aherrojaran sus propias gentes. Quizá esté en ello el secreto de que, salvadas las pavorosas dis-

---

[195] MARAÑÓN, Gregorio, *Ensayos liberales,* Buenos Aires, 1946, pág. 146.
[196] BAROJA, Pío, *Obras Completas,* vol. VII, pág. 444.

9

tancias, sean el siglo XVII y el XX los que registren los más profundos avances en el frente intelectual.

Pero sería intolerablemente erróneo creer que esta interpretación del clima noventayochista supone la desvaída tesis de que el progreso del espíritu humano es proporcional al demoliberalismo de los Estados. Esto creían entre nosotros los doceañistas y la serie de sus herederos, entre los que brillaron los profesores de la Institución Libre de Enseñanza y los intelectuales de la Agrupación al Servicio de la República. El problema es demasiado complejo para que pueda resolverse con la fórmula simplista: progreso indefinido = absoluta libertad. Hay dictaduras emancipadoras de la mente, como hay democracias que esterilizan y oprimen porque estabilizan al nivel plebeyo. Además, la libertad intelectual y la política ni coinciden, ni las protegen idénticas normas, ni emanan de los mismos poderes. La primera es moralmente incoercible; la segunda depende, en cambio, de las reglas adoptadas para el juego social de las masas. Por eso hay absolutistas—es el caso del griego clásico—que aceptan el régimen democrático en el seno de las academias, los colegios minoritarios o el estamento patricio. Dar a cada hombre un voto igual puede ser una tontería y hasta un pecado; pero encadenar espiritualmente a un egregio es las dos cosas siempre.

Tan pronto como el clima se tornó menos apacible y acogedor, comenzó el declive creador. Pío Baroja lo ha dicho en uno de los fragmentos más felices de su vasta obra: «No es fácil saber hoy si esta generación o seudogeneración nuestra, que se llama del 98, y de la que se ha hablado tanto, es algo corriente o tiene cierto valor de excepción; pero no cabe duda de que si los gobiernos coartan la libertad de pensar a la gente nueva e impiden que escriba con independencia y la somete *(sic)* durante largo tiempo a una norma de censura, esa generación del 98 que, naturalmente no era generación, por contraste, se consolidará como tal, quedará como una sierra aislada sin estribaciones, sin colinas alrededor que la oculten, y se destacará y tomará en España unos caracteres míticos» [197]. Esta es, en último término la razón de que los noventayochistas supervivientes, sus hijos y aún

---

[197] Idem, *Op. cit.,* vol. VII, pág. 866.

sus nietos vivamos todavía ocupados en la partición y saneamiento de una herencia espiritual que lleva casi medio siglo yacente. Es lo que Marañón ha querido decir en este apretado y lacerante texto: «De la generación del 36 nada puede decirse todavía, porque las circunstancias han impuesto que le falte la condición esencial para que la generación exhiba su alma y pruebe, ante la Historia, su categoría: la libertad»[198]. Desde el punto de vista de la historia del espíritu, y precisando la terminología, el diagnóstico es cierto.

9. UNA TARA: LA INTRANSIGENCIA

Pero los portavoces del espíritu noventayochista no fueron liberales como el clima en que vivieron. Ortega y Gasset llamaba a Unamuno «energúmeno español..., mozo que cerca de la media noche se siente impulsado sin remedio a dar un trancazo sobre el candil que ilumina la danza: entonces comienzan los golpes a ciegas y una bárbara

---

[198] MARAÑÓN, Gregorio, *Prólogo* al libro citado de DÍAZ-PLAJA, pág. XVI.

barahúnda» [199]. Y era bastante verdad. El profesor salmantino era un buen ejemplo de apasionamiento serrano, vehemencia polémica y técnica del improperio. El Maeztu juvenil amedrentaba las tertulias con su voz estentórea, su violencia y sus extremismos dialécticos. Valle-Inclán era irascible, hipersensible a la crítica e implacable con el discrepante. El hirsuto Baroja, en sus *Memorias,* no perdona la vida a nadie y golpea a diestro y siniestro sin cuartel. A pesar de sus intemperancias y sus nihilismos juveniles el más liberal era Azorín. Así es como, paradojicamente, el espíritu del 98 adquiere un aire intolerante. Y la causa no fue el antidemocratismo doctrinal de sus formuladores, porque se puede negar, como los déspotas ilustrados, la soberanía popular y, sin embargo, ser comprensivo y aun escéptico y postular amplias libertades para el ciudadano. Una cosa es el democratismo, es decir, la indemostrada tesis de que ha de gobernar la mayoría, y otra el liberalismo, que es una ética laica de tolerancia, espontaneidad y autorregulación social por el pací-

---

[199] ORTEGA Y GASSET, José, *Obras Completas,* ed. cit., volumen I, pág. 129. Vid. Idem. *Op. cit.,* vol. V, pág 261 y ss.

fico contraste de opiniones e intereses. En esta moral hay injertadas no pocas nobilísimas y milenarias virtudes.

Aparte de otros motivos psicológicos, la razón histórica de la intransigencia noventayochista está en que los portavoces del espíritu del 98 eran herederos de la mentalidad krausista, y ésta, a su vez, no era otra cosa que una reencarnación brillante y remozada de la corriente intelectual que Pérez Embid ha llamado la «izquierda burguesa española» [200]. Y esta línea histórica que arranca de la Revolución francesa, adolece, como sus homólogas extranjeras, de un fanatismo y de un sectarismo incompatibles con la auténtica actitud liberal. Una historiografía parcial lleva casi dos siglos tratando de probar que tradicionalismo ideológico es sinónimo de autoritarismo inquisitorial, y que los progresismos más o menos revolucionarios son, por definición, de signo libertario y emancipador. Pero no es así ni en el plano de la política, ni en el del pensamiento. Los frutos inmediatos de la Revolución francesa fueron una serie de terroríficas dic-

---

[200] Pérez-Embid, Florentino, *Prólogo* a *La Institución Libre de Enseñanza*, Madrid, 1962, vol. I, pág. 6.

taduras y una persecución intelectual sin el menor atisbo de tolerancia. Desgraciadamente, la herencia jacobina no ha cesado de gravitar sobre todas las posiciones antitradicionales contemporáneas.

Entre nosotros, la polémica de la *Ciencia Española* fue una ocasión en la que se puso de manifiesto la intolerancia de los que se erigían en abanderados de la libertad. Mientras Menéndez Pelayo dedicaba un colosal esfuerzo a reconstruir el pensamiento y la trayectoria de los heterodoxos españoles, estos le respondían con un silencio hostil y contumaz. El propio Azcárate, cuando escribía a Laverde para rectificar parcialmente las afirmaciones que había refutado don Marcelino, tuvo el cuidado de no mentarle, «él sabrá por qué, sin duda por desprecio de sectario» [201]. Y Revilla, «por evitar que a su costa se fabricasen reputaciones ilícitas» [202] no quiso nombrar al genio santanderino. También Giner le alude sin mencionarle cuando, en un paréntesis, enumera a los defensores

---

[201] MENÉNDEZ PELAYO, Marcelino, *La Ciencia Española*, Madrid, 1953, vol. I, pág. 265.
[202] Citado por PIDAL Y MON, Alejandro, *Dos artículos en La Ciencia Española,* ed. cit., pág. 284.

de la filosofía española, «Valera, Laverde Ruiz y otros»[203]. Pereda los diagnosticó certeramente: «No te extrañe—escribe a don Marcelino—la conducta de la Prensa liberal. Para aplaudirte de buena fe, es demasiado sectaria, y para morderte necesita una dentadura de instrucción que no posee»[204]. Impresionante es el testimonio de Clarín en una carta al maestro: «Si no ve ningún artículo mío hace tiempo elogiando sus trabajos literarios, no lo achaque a pereza; es que me han echado, con buenos modos, de todos los periódicos de alguna circulación donde escribía. Mis queridos correligionarios son así a veces (como los de usted), no comprenden que se alabe a los contrarios»[205]. El propio Menéndez Pelayo nos aporta otro testimonio lamentable: «Al hijo de Rubio le mandaron tachar en el discurso de doctorado todos los párrafos en que se refería a mí (por noticias que yo le había dado) so pena de no admitirle. En el tribunal estaban Revilla Camus

[203] GINER DE LOS RÍOS, Francisco, *Estudios sobre las artes industriales y Cartas familiares,* Madrid, 1926, pág. 268.

[204] PEREDA, José María de, *Epistolario de Pereda y Menéndez Pelayo,* Santander, 1953, pág. 61.

[205] ALAS, Leopoldo, *Epistolario,* vol. II, Madrid, 1943, páginas 32 y 33.

y otros *ejusdem furfuris»* [206]. Frente al generoso sentido liberal de la vida de don Marcelino, ya harto demostrado para que valga la pena aducir aquí pruebas, los que enarbolan los tópicos liberaloides se comportan con un sectarismo intolerante y fanático.

El fenómeno es general y persistente. «El krausista es un ultramontano vuelto del revés» [207], atestiguaba Palacio Valdés en 1877. «Veo—escribía Valera en 1883—... algo que me mortifica y contraría, a saber: cierta alianza entre el liberalismo y la barbarie, y entre el no liberalismo o los que llaman retrógrados y la cultura» [208]. A finales del siglo afirma Baroja: «Una de las cosas que parece paradójica y es muy exacta es la intransigencia, el fetichismo de los liberales y de los que en España se llaman avanzados» [209]. La conspiración de si-

[206] Citado por Bonilla Sanmartín, Adolfo, *Marcelino Menéndez Pelayo,* Madrid, 1914, pág. 75.

[207] Palacio Valdés, Armando, *Semblanzas Literarias,* Madrid, 1910, citado por Cacho, Vicente, *La Institución Libre de Enseñanza,* Madrid, 1962, vol. I, pág. 241.

[208] Valera, Juan, *Epistolario de Valera y Menéndez Pelayo,* Madrid, 1946, pág. 186.

[209] Baroja, Pío, *Obras Completas,* ed. cit. pág. 30.

lencio en torno a Menéndez Pelayo se repite más tarde con el Maeztu converso: «No me cite—dice a Eugenio Montes—, no me mencione. Es usted muy joven y no tiene derecho a que le cerque el silencio como a mí. Yo soy un leproso» [210]. Incluso Ortega y Gasset llega a ser marginado por el extremismo revolucionario. Su queja data de 1933: «Los hombres republicanos han conseguido que, por vez primera, después de un cuarto de siglo, no tuviera yo periódico afín en que escribir» [211].

Un cierto autoritarismo es, sin duda, consustancial al intelectual. Quien se siente superior y en posesión de certidumbres tiende más al soteriológico magisterio altanero que al llano diálogo receptivo. Además, el creyente es siempre fanático. Y todo esto se cumple singularmente entre los celtíberos, gentes apasionadas y de convicciones berroqueñas. Pero no es lo mismo la íntima adhesión a unas tesis que el respeto externo a las opuestas. Y los españoles, aunque igualmente intolerantes al nivel lógico, no siempre se han comportado

[210] MONTES, Eugenio, *La estrella y la estela,* Madrid, 1953, página 312.

[211] Citado por SANTANDER, Federico, *Glosa a Ortega y Gasset,* en «ABC», 17 de diciembre de 1933, pág. 23.

del mismo modo al nivel social. Desde que a fines del siglo XVIII adquiere cierta personalidad y volumen la disidencia religiosa y filosófica, es decir, la actitud antitradicional, es ésta la que, como todos los revolucionarismos de la época, a pesar de su credo liberalizante y desvinculador, se comporta, acaso por su posición minoritaria, radical y a contrapelo, de modo más intolerante y fanático. La intransigencia noventayochista, más que la nota concomitante de un movimiento espiritual claramente rebelde, es una tara recibida, un sintomático legado de escuela, un rasgo de filiación espiritual. La intolerancia, aunque no ha constituido nunca un monopolio exclusivo de nuestros progresismos, sí ha sido, contra toda presunción, uno de sus rasgos más interesantes y duraderos. Su reaparición en el espíritu del 98 es una nueva y, por lo que a nuestra investigación se refiere, postrera característica, para situarlo con cierta aproximación en el árbol genealógico de la cultura española.

En todas las latitudes morales, desde Torquemada a Lenin, pasando por Marat, se ha defendido y practicado alguna vez la intolerancia. Yo, aunque soy partidario de la salvación física incluso a pesar del paciente, no lo soy de la salvación mental coactiva. Esta es la razón de que no haya postulado nunca ni la imposición violenta de unos dogmas especulativos ni el amordazamiento de los contradictores. Siempre he respetado todas las posiciones intelectuales sinceras y coherentes. Creo en la fecundidad del diálogo entre los profesionales del pensamiento, y tengo para mí que la intolerancia externa de las ideas puras es una imperfección ética que denota una falta de sazón social. Por esto considero que la intransigencia noventayochista, aun cuando fue mucho menos implacable y cerrada que la de sus predecesores los krausistas, constituye una nota culposa del espíritu de la época. La rebeldía finisecular fue una óptima oportunidad para superar los sectarismos de partido y de escuela y para extender a toda la vida intelectual el clima ejemplar creado por el Menéndez Pelayo maduro, y del que fue una muestra arquetípica su amistad con Galdós. Desgraciadamente no se aprendió la lección. Y esto es lo que permite que el espíritu del 98 haya servido más de una vez como cabeza de puente para continuar la encallecida polémica de las Españas.

IV. BALANCE

El espíritu del 98 es algo que no puede confundirse ni con sus portavoces o definidores, ni con sus víctimas. Esta es una de las numerosas contraposiciones y no la menos importante, que hay entre la historia del espíritu y el malhadado método generacional. Azorín [212], por ejemplo, evoluciana tan sensiblemente en su madurez que llega a afin-

---

[212] «Desde el Azorín partidario de la tradición regalista que rechaza a Vázquez de Mella y adopta una actitud reservada ante Menéndez Pelayo, al Azorín de *Una hora en España* hay un largo camino recorrido» (CALVO SERER, Rafael, *El problema de España en la generación del 98,* en *España, sin problema,* Madrid, 1949. pág. 92).

car en posiciones conservadoras y burguesas, antípodas de las noventayochistas. Ramiro de Maeztu, que atraviesa una mocedad revolucionaria, pronto rectifica rotundamente y se enfrenta con sus antiguos compañeros de viaje, situándose a la cabeza del pensamiento contrarrevolucionario. Incluso Pío Baroja, que es el único escritor medianamente fiel a las constantes noventayochistas, no participa de alguna tan esencial y típica como el esteticismo, puesto que su fuerte y personalísima prosa, coloreada de vulgarismos y concordancias vizcaínas, es harto frecuentemente un ejemplo de castellano incorrecto, infantil y desaliñado. A diferencia de la tan traída y llevada idea de generación, el espíritu del 98 no es, en modo alguno, un comprimido o sustitutivo de las biografías de los escritores y de los pensadores del tiempo, sino un capítulo de la historia interna de España, y por ello, holgado y funcional escenario para ulteriormente situar el ir y venir de cada personaje. Era necesario reiterar esta básica precisión metódica al final de un capítulo tan poco convencional.

El conocimiento humano es siempre, como en el platónico mito de la caverna, claroscuro y contraste. Y la Historia no es una excepción a esta humillante ley epistemológica. El espíritu del 98 tiene un telón de fondo sobre el que se recorta, un capítulo anterior en la encadenada narración de los avatares intelectuales de España; es lo que me atrevería a llamar el *espíritu de 1876* o de la Restauración. La fijación de sus rasgos cardinales requeriría un estudio tan circunstanciado, por lo menos, como el que queda atrás; pero aventurando unas conclusiones se podría trazar una silueta precaria sobre los siguientes vértices provisionales: pacificación, apatía, compromiso, conformismo, evasión, patrioterismo, mal gusto, ritmo lento, inautenticidad religiosa, tecnicismo, mediocridad, crédito de confianza a la Monarquía constitucional, progresiva implantación de las libertades políticas y tregua entre las facciones. Fuerte, hiriente como un contraluz, resulta ahora sobre este horizonte el espíritu noventayochista: derrota, hiperestesia, crítica, rebeldía, ensimismamiento, españolía, egolatría, voluntad creadora, propósitos regeneracionistas, un clima de libertad y reactivación de la intolerancia polémica. Hay un factor, sin embargo, que vincula entre sí ambos períodos y

143

salva para el historiador un hiato que, de otro modo, resultaría difícilmente franqueable. Ese factor es la *Institución Libre de Enseñanza,* fundada precisamente en la primavera de 1876.

El espíritu institucionista es un derivado no de la abstrusa metafísica, sino de la moral krausista y constituye la aguda nota discordante del languideciente y disciplinado concierto canovista. La Institución lega a los noventayochistas el culto a las artes, la heterodoxia, la intolerancia, el utopismo, la preocupación por una pedagogía nacional, la europeización castiza, el aristocratismo minoritario, un cierto atildamiento que les alejó de la tentación bohemia, y el amor al paisaje y a los pueblos, es decir, el patriotismo poético y epidérmico. No heredan, en cambio, el cerrado espíritu de grupo, la mentalidad universitaria, la devoción por los libros y los idiomas, la primacia de la docencia verbal y el puritarismo con sus virtudes anejas: la tenacidad, la discreción, la sobriedad y el antirretoricismo. Acaba de alejarlos de sus precursores una exageración de la voluntad de reforma que los llevó hasta los linderos del anarquismo revolucionario. El hombre que sirvió de eslabón entre el institucionismo y el noventayochismo fue Joaquín Costa, cuya vida y sobre todo, cuya obra, estuvo a caballo entre ambas posiciones. En el 98 hubo menos seriedad y nada de la capacidad constructiva de la Institución; pero sí, más fulgor, más sinceridad y más genio.

Los tiempos son demasiado complejos para que, como los días del calendario romano, puedan clasificarse en fastos y nefastos. Y lo mismo ocurre con sus espíritus. El carácter preferentemente negativo del *espíritu del 98* excluye, desgraciadamente, una valoración global positiva. Casi todo parece llevar, irremediablemente aparejado, el signo menos. El Desastre fue una pérdida territorial, la hipersensibilidad una psicosis colectiva, el criticismo un repudio sistemático, la rebeldía una protesta apenas discriminada, el ensayismo una falta de precisión, el deísmo una innegable heterodoxia, el egocentrismo una deserción, el regeneracionismo una insolidaridad y la intolerante agresividad dialéctica una falta de madurez social. Lo más positivo fue la voluntad de perfección literaria. Por eso son las obras de arte las que casi monopolizan el haber de aquella hora crítica. El espíritu del 98 fue más disolvente que cristalizador, más demoledor que constructivo; pero no por eso constituye un factor exclusivamente regresivo o un puro sustraendo histórico. Surgió como réplica a la España del 76, y no ha cesado de operar, aunque de modo muy privativo, sobre la vida hispana en lo que va de siglo. No fue un sedante, sino un revulsivo; no una simiente, sino un fermento; no un músculo, sino un acicate. Fue un reactivo localmente lancinante y aun deletéreo; pero capaz de romper el equilibrio y de estimular el desencadenamiento de encontradas fuerzas soterradas, unas afines, como la de Ortega y el grupo de la «Revista de Occidente», otras adversas, como la de Maeztu y el equipo de «Acción Española».

De lo que no cabe duda alguna es de que al calor del 98 se inicia ese vigoroso desperezarse español, cuya gran flexión histórica se produce el 18 de julio. Así es como llegamos al otro término de contraste: el *espíritu de 1936*. El estado de ánimo de las gentes que se enfrentaron entonces sobre el suelo dividido de la Patria era la impetuosidad; y las virtudes características, el esfuerzo heroico y el valor. Su postura no era la inadaptación, sino la voluntad de reforma concreta; y sus inquietudes no el destino individual, sino las doctrinas de común salvación y la Patria, no entendida como articulación de paisajes y emociones, sino como trama de gentes y de tierras atenazadas por justas necesidades insatisfechas. En vez del esteticismo noventayochista, lo que registra el espíritu del momento es un empeño por lograr la claridad y la verdad. La forma de vida no es la del hombre de letras, híbrido de poeta y pensador, aristócrata y político, sino la del militante y la del intelectual comprometido. Frente al yoismo del 98 un formidable altruísmo arrastra a las promociones de combatientes. La actitud ante lo trascendente en 1936 era la fe intrépida; y los ideales, no la propia obra y esa «otra España» inalcanzable y quimérica, sino una Patria muy determinada, que tenía lo mismo para un bando que para otro perfiles monolíticos. Y los antecedentes del Alzamiento no estaban en los brotes agraces de la heterodoxia antitradicional, sino en el tronco secular de la España más verdadera y mejor.

La obra cumplida en lo que va de siglo, excepción hecha del arte, es, de ordinario, réplica o mentís a las tesis noventayochistas, cuya verdadera virtualidad estriba, pues, en su carácter provocador. Así es como en la anchurosa perspectiva de las décadas, el negativismo del 98 cobra una dimensión indirectamente creadora. Y la prueba postrera está en el hecho, aún no subrayado, de que, a medida que el espíritu noventayochista va perdiendo por desgaste su potencia destructora y, al mismo tiempo, agitadora, nuestra vida espiritual se aburguese y adormezca. El *espíritu de 1960* [213], es decir, del tiempo «in werden» que corre hoy, es el más difícil de definir a causa de su envolvente proximidad. Pero no es temerario denunciar su aire poco vivo. El estado de ánimo de las gentes que la cronología puso al margen de la gran conmoción espiritual de 1936 es esencialmente la reserva y un cierto indiferentismo de pulso lento. Y la postura, cuando no es inhibición, es esfuerzo para adaptarse, casi para pasar inadvertido, como por no plan-

[213] LUCA DE TENA, Torcuato; PEMÁN, José María, y FERNÁNDEZ DE LA MORA, Gonzalo, *La monarquía del futuro*, Madrid, 1960, págs. 17 y 18.

tear un problema cuyos términos no se conocen
bien y cuya solución no se está seguro de que
pueda ser viable. Las inquietudes actuales son
principalmente las cosas y la vida; las técnicas
científicas más acabadas, pero el estilo incompa-
rablemente menos brillante que el de 1898 o el
de 1936. Es le vigente una coyuntura de general
atonía literaria. Y la forma de vida que caracteriza a la promoción que ahora alcanza la madurez
no es la del hombre de letras, ni la del militante,
sino la del profesional; es, por ello, más realista y
pragmática que las que le precedieron. Las creencias casi se reducen a una cierta fascinación ante
el poder político y el económico, que son los úni-
cos verdaderamente subsistentes por haber desapa-
recido otros sociales e ideológicos. Y la vida religiosa, aunque floreciente, reviste, a veces, un
formalismo difícil de penetrar. Todas estas notas,
que son las que pone de manifiesto una primera
aproximación desapasionada al cercanísimo e ina-
barcable tema, vienen a sustanciarse en una actitud
general de prudente expectativa.

En suma: 1876 o el caldo de cultivo, 1898 o
el activo fermento, 1936 o la lucha configurado-

ra, 1960 o la hermética expectativa. Una grande e irónica interrogante circunda al espíritu de este nuevo tiempo en marcha, no porque sea constitutivamente misterioso, sino porque aún está inédito. Cuando suene, por muy tardía e inoportunamente que sea, la hora inexorable en que la Historia caiga en las manos de las promociones que no hicieron la guerra, ¿se escuchará todavía algo del viejo, anárquico y excitante grito noventayochista? Me temo que no, porque estamos transponiendo su radio de acción, por cierto, insólita y excepcionalmente dilatado. Pero no sería extraño, sino más bien lógico y natural, que otro reactivo ácido viniese a desentumecer, acaso dolorosamente, al espíritu sesteante.

II. HACIA UN ORTEGA ESENCIAL

I. INTRODUCCION

José Ortega y Gasset es el máximo pensador hispano de la primera mitad del siglo xx. En su obra, epicentro de una de las más intensas conmociones ideológicas y estilísticas de su patria y de su tiempo, hay respuestas a un buen número de las más pavorosas interrogaciones que se ha hecho la mente humana, y, además, una de las gestas expresivas más eminentes de nuestra lengua. Estamos, pues, ante uno de los grandes vértices geodésicos de la planimetría espiritual de España y, para el intelectual celtíbero contemporáneo, ante un punto de referencia capital. Esta condición de piedra de toque que para su ámbito cultural tiene la figura orteguiana, le imprime un carácter polar y polémico, y de ahí la ardua dificultad inicial de juzgarla sin incurrir en flagrante sacrilegio para los epígonos o en bobalicona beatería para los antípodas. Si a este primer obstáculo se añade el de la carencia de una bibliografía monográfica suficiente, lo polifacético de su persona y lo enciclopédico de su obra, en parte recién publicada o inédita, se comprenderá que el empeño de apresar a Ortega en la parva red de bajura que es un opúsculo, tiene algo de intrépido maratón universitario. Pero entiendo que la empresa, intentada con mayor o menor aliento, no sólo es lícita, sino obligada para cualquier meditador español actual.

El mayor tributo de admiración que puede prestarse a un intelectual no es elogiarle por inercia psíquica, ni siquiera deleitarse como un desentendido espectador en la frívola y ocasional lectura de sus ensayos; es meditar sistemática y esforzadamente sobre toda su obra, repensar su pensamiento y declarar con voluntad de verdad, de comprensión y de rigor, las reacciones mentales que ha desencadenado el vigoroso y pluridimensional estímulo del hombre, su estilo y su doctrina. Esto es lo que, exploratoria y modestamente, he tratado de hacer en las páginas que siguen . Estoy seguro de que los parásitos escoliastas del filósofo se rasgarán las vestiduras por tal o cual discrepancia, y de que los detractores obcecados se indignarán ante muchos elogios míos, que tendrán por desorbitados. Declaro que no he pensado ni en los unos ni en los otros mientras seleccionaba textos y condensaba notas decantadas durante muchos años de trato sincero y silencioso con la obra de uno de los españoles con quien me considero en mayor deuda discipular. El carácter impreciso y asistemático de los escritos orteguianos, y las técnicas propias de la investigación científica me han impuesto la disciplina, en ocasiones espartana, de citar siempre literalmente. Quede en claro que cuanto es de Ortega va entre comillas, y que todo lo demás es juicio e interpretación. Pese a las precauciones exegéticas tomadas, sé que en materia tan vasta y movediza como la de este ensayo es imposible acertar siempre. Por eso, allí donde mi glosa sea infiel, o mi juicio infundado, confío en que el generoso lector me ayude a rectificar.

Me he acercado a Ortega con devoción y rigor. El fue, sin duda, un varón excepcional; pero con las imperfecciones y yerros de todo mortal que no ha sido desterrado por la pereza cerebral de sus críticos o por la terca mediocridad de sus explotadores a la lunar paramera del mito. Y si algún pensador dicta con especial pesadumbre el deber de no deshumanizarle, ése es Ortega, cuya trayectoria anecdótica, doctrinal e idiomática está impulsada, como es habitual en la biografía de los egregios, por una sola gran intuición primaria, en este caso la de la vida. Porque el mote orteguiano no es otro que la sentencia de Eckart «vivo para vivir», o su equivalente goethiana «la vida existe simplemente para ser vivida» [1]. En sus largos soliloquios, Ortega no cesa de gravitar alrededor de este vitalismo focal. Y por eso, en fin, cabe intentar la reducción a esquema coherente de sus ideas, desparramadas en sueltas y andariegas guerrillas, a lo ancho de centenares de artículos que se suceden durante casi medio siglo.

---

[1] ORTEGA Y GASSET, José, *Obras Completas.* Ed. Revista de Occidente. 1.ª ed. Madrid, 1946-47, vol. III, pág. 189.

II. EL HOMBRE

1. Mocedades

Ortega nació el 9 de mayo de 1883, casi sobre una rotativa del madrileño diario *El Imparcial,* que animaba su padre, un escritor menor, don José Ortega y Munilla. El ambiente de su casa era el del periodismo decimonono: literatura y política en vuelo rasante. Pero un viento nuevo estremecía las aulas. Era el magisterio de Giner y Costa, de Valera y Menéndez Pelayo. La modernidad catalizada por el Desastre había cristalizado ya en el «espíritu del 98». Salvo Maeztu, sus principales portavoces ideológicos—Ganivet y Unamuno—alcanzaban la mayoría de edad cuando vio la luz Ortega. Su aparición en el horizonte cultural de la época no fue, pues, salto ni generación espontánea, sino algo muy alejado de esa «inverosimilitud» que Marías [2], arrastrado por su veneración discipular, ha creído ver en la existencia de Ortega. No; fue un producto insigne; pero muy de su tiempo y muy español.

La disciplina intelectual la recibe Ortega de los jesuitas, primero en el soleado colegio mediterráneo de Miraflores del Palo y luego en la cántabra y neblinosa Universidad de Deusto. La licenciatura en Filosofía y Letras la alcanza en Madrid en 1902. Acaba de franquear la adolescencia. El 19 de diciembre de aquel año publica en la revista *Vida Nueva* su primer artículo: *Glosas*. Pero su zambullida en la notoriedad data del año de su doctorado con la tesis *Los terrores del año 1000*, porque entonces se inicia su colaboración habitual en el periódico que dirigía su padre. Su primera columna se titula *El poeta del misterio* y aparece el 14 de marzo de 1904. Desde entonces hasta 1936 ya no iba a cesar de escribir artículos, su género

---

[2] MARÍAS, Julián, *La escuela de Madrid*. Ed. Emecé. Buenos Aires, 1959, pág. 228.

favorito, formalmente su auténtico género literario.

Los viajes a Alemania son decisivos en la vida de Ortega; pero no por las razones que mecánicamente se suele repetir fundándose en dos o tres textos autobiográficos. Ortega visitó, pensionado por el Gobierno español, Leipzig en 1905 y Berlín en 1906; pero no se enteró de que existía su alma filosóficamente gemela, Guillermo Dilthey, ya famoso desde la publicación de *Erlebnis und Dichtung* en 1904. Cuando lo descubrió, con ocasión del centenerio en 1933, Ortega tenía cincuenta años. «Este desconocimiento me ha hecho perder aproximadamente diez años de mi vida» [3]. He aquí un indicio del carácter superficial del primer contacto de Ortega con Alemania. En dos ocasiones—1906 y 1911—hizo un alto reposado en Marburgo. «En esta ciudad—escribe—he pasado yo el equinoccio de mi juventud: a ella debo la mitad, por lo menos, de mis esperanzas, y casi toda mi disciplina» [4]. Y reconoce reiteradamente como maestro a Hermann Cohen. Pero lo cierto es

[3] *Obras Completas,* vol. VI, pág. 170.
[4] *Obras Completas,* vol. II, pág. 552.

que de aquel crepuscular neokantiano a quien trató asiduamente en la romántica villa colgada de un cerro encastillado a orillas del curvo Lahn, no hay huellas teóricas tangibles en la obra de Ortega. El joven universitario leyó sin duda la *Ethik des reinen Willens,* pero apenas cita otro fragmento que una intrascendente alusión al Quijote[5]. Que Ortega viviese «diez años dentro del pensamiento kantiano»[6] es algo que hay que creer bajo su palabra de honor, porque en su vasta obra no hay pruebas de ello. Su comunicación *Descartes y el método trascendental,* es una memoria escolar brevísima y expositiva. Sus dos estudios sobre Kant son circunstanciales, periféricos, distantes, evasivos y tardíos, porque datan de 1924 y de 1929. Ni siquiera heredó Ortega de sus maestros germanos el ideal universitario del sabio profesoral: «para mí no fue un instante dudoso que yo debía conducirme a la inversa del *Gelehrte* alemán»[7]. Lo que verdaderamente aprendió Ortega en Alemania no fue una filosofía ni una actitud intelectual, sino un

---

[5] *Obras Completas,* vol. I, pág. 329.
[6] *Obras Completas,* vol. IV, pág. 25.
[7] *Prólogo para alemanes,* Madrid, 1958, pág. 82.

idioma, es decir, el instrumento que luego iba a permitirle explotar cómodamente, desde el meridiano madrileño, la bibliografía germana, entonces muy mal conocida por los españoles [8]. Los primeros testimonios de este largo, asistemático, solitario y asiduo periplo iniciado en 1906 son las glosas a Simmel, en 1908, y a Worringer y Freud, en 1911. De entonces es su gran hallazgo y su gran consigna: «Los pueblos románicos no tienen cosa mejor ni más seria que hacer que reabsorber el germanismo» [9].

2. MADUREZ

En 1910 gana la cátedra de Metafísica de la Universidad de Madrid. Se siente «profesor de Filosofía *in partibus infidelium*» [10], lo que puede entenderse como declaración de que en España

---

[8] Hay dos textos tardíos, pero reveladores, que confirman incontestablemente mi interpretación: «en Marburgo no se enseñaba filosofía» (*Prólogo para alemanes,* pagina 35) y «yo iba a Alemania para traerme al rincón de la ruina española la cultura alemana y allí devorarla» (*Op. cit.* pág. 30).

[9] *Obras Completas,* vol. I, pág. 209.

[10] *Obras Completas,* vol. I, pág. 311.

11

nadie se interesaba por la Metafísica, supuesto inexacto, o como modesto reconocimiento de que no ejercía escolástica, tradicional, canónicamente su función universitaria, lo cual era en cierto modo verdad, pues su principal actividad pública había sido aquel año la conferencia pronunciada en Bilbao *La pedagogía social como programa político*, y una serie de artículos literarios, luego recogidos en el volumen *Personas, obras, cosas* (1916). Y su primer opúsculo después de su acceso a la cátedra consiste en una conferencia de partido: *Vieja y nueva política*.

Ortega y Gasset inicia su actividad filosófica en 1914 con sus *Meditaciones del Quijote*, que contienen dispersas y en forma muy embrionaria alguna de sus intuiciones fundamentales. A partir de esta fecha su pluma no conoce el descanso. Ya no ceja en su propósito de «colocar las materias de todo orden, que la vida, en su resaca perenne, arroje a nuestros pies, como restos inhábiles de un naufragio, en postura tal que dé en ellos el sol innumerables reverberaciones» [11]. Este pro-

---

[11] *Obras Completas*, vol. I, pág. 311.

pósito de alto prestidigitador intelectual y de gran educador nacional fue su verdadera vocación, si así puede llamarse a un quehacer tan vasto y complejo. Pero lo cumplió. Los más variados temas fueron sometidos a la prueba de su capacidad esclarecedora. Se ocupó de *omni re scibili*. Desde la crítica literaria a la metafísica casi nada le fue ajeno en el anchuroso campo de las humanidades.

Ortega funda en 1923 la *Revista de Occidente*. El primer número aparece en un canicular mes de julio madrileño. Es un breve fascículo de cuidadísima factura. Desde su leonina viñeta frontal hasta el colofoncillo, todas las páginas acusan un sostenido empeño de perfección tipográfica. Bajo el epígrafe *Propósitos*, una nota prologal, sin duda de Ortega, declara que la revista nace para ofrecer a las minorías hispanoamericanas «noticias claras y meditadas de lo que se siente, se hace y se padece en el mundo». Esta preocupación por estar a la altura del tiempo es verdaderamente toral y explica no sólo el predominio de los nombres transpirenaicos, sino la variedad temática de las colaboraciones. Salvo la política, todo importa, desde la poesía a la alta matemática. Alberti, Guillén,

Lorca, Machado, Neruda y Juan Ramón aparecen junto a Broglie, Eddington, Einstein, Heisenberg, Jeans, Schrödinger y Whitehead. Pero la literatura prevalece abrumadoramente, porque el auténtico clima de la revista no es la investigación, sino el deleite estético, la alta vulgarización y la pedagogía. La misma filosofía ocupa un lugar secundario: el equipo de lengua castellana, acaudillado por Ortega, lo integran casi exclusivamente Morente, Zubiri, Gaos y Ledesma Ramos, y con parcos textos. El primer plano de la filosofía extranjera está reservado a Brentano, Croce, Keyserling, Russell, Simmel y Scheler. El círculo de la revista es, pues, restringido. Por citar sólo pensadores, brillan por su ausencia esplendorosa Unamuno y Maeztu, Bergson y Heidegger. Lo que podríamos llamar la derecha intelectual española no está representada; sólo aparecen excepcional y fortuitamente nombres jóvenes como los de Eugenio Montes y Pedro Sáinz Rodríguez. La *Revista de Occidente* y la tertulia aneja fueron esencialmente orteguianas, y no alcanzaron a ser, como se declaraba en los *Propósitos,* «el recinto tranquilo y correcto donde vengan a asomarse todos los

espíritus resueltos a ver claro». A pesar de esta
acaso inevitable parcialidad, la revista fue el más
vigoroso estímulo ideológico de la vida hispánica
durante catorce años críticos del período de entreguerras. Desde otras orillas mentales lo completa-
ron *Cruz y Raya* con titubeos y *Acción Española*
esforzadamente. En torno a su revista Ortega creó
una editorial que prestó a nuestra cultura y especialmente a las Facultades de Filosofía, un servicio inestimable. Decenas de autores extranjeros,
en su mayoría alemanes, fueron cuidadosamente
vertidos al castellano y, entre ellos, el gran Husserl. Y dentro de la *Biblioteca de Ideas del siglo XX* se puso en manos del lector español a
Rickert, Spengler y Wölfflin, entre otros. Así se
cumplió la voluntad orteguiana de elevar al estu-
dioso hispano hasta el nivel de la pleamar europea
y de remover extensa y hondamente la vida universitaria. Esta campaña de incitación y de infor-
mación intelectuales es una de las más positivas e
inconcusas hazañas de Ortega.

Sus incursiones políticas, aunque sonadas y fre-
cuentes, no respondían a una mala tentación de
poder, sino a un entendimiento equivocado de la

gran pedagogía, de la educación de los españoles. En 1930 fundó con Marañón y Pérez de Ayala la *Agrupación al servicio de la República*. Y triunfó en un empeño político por primera y última vez. Con el nuevo régimen fue diputado en las Cortes Constituyentes; pero pronto le ganó la decepción, y en 1932 se ausentó del ágora para no volver. Al estallar la guerra civil en 1936 abandonó España. Su mutismo ante la contienda encarnizada y tremenda, lo que acaso signifique equidistancia de ambos bandos, es una de las más tentadoras incógnitas biográficas de Ortega. Aprendiz de cosmopolita, deambuló de un país a otro —Lisboa fue su residencia preferida—hasta que en 1946, como vuelve el gerifalte al puño, retornó a Madrid para leer—4 de mayo—en el Ateneo, armado de un puntero, ante un encerado que representaba la embocadura de un escenario, su conferencia *Idea del teatro*. La espectación era inmensa. Sólo le veían los madrugadores; los demás nos agolpábamos en los pasillos. Desilusionó. No fue la lección de un gran maestro, sino un escarceo literario, una finta intelectual, en la que casi todo sonaba a hueco y nada rimaba con las circuns-

tancias. Era, sin duda, el principio del fin. Ya no
iba a publicar nada sustancial hasta su muerte.

3. Mi encuentro

Fue entonces cuando yo hablé por primera vez
con Ortega. La segunda edición de sus *Obras* en
dos gruesos volúmenes verdiazules, había sido durante años mi lectura predilecta. Estaba rendido a
la seducción de su estilo estallante y luminoso,
y conocía sus escritos hasta el punto de que podía
identificar el contexto de centenares de párrafos.
Yo pasaba entre mis condiscípulos por un orteguiano furibundo, el único de mi promoción. Era
la primavera de 1946. Mientras mis compañeros
de Facultad asistían a la clase de Teoría del Conocimiento, yo tomé la gran avenida de la Ciudad
Universitaria, todavía llena de cicatrices bélicas.
Atravesé Madrid en un chirriante y quelonio tran-
vía. Tenía la impresión de vivir una jornada trascendental. Subí nervioso las escaleras de la *Revista
de Occidente* en una casa que me pareció galdosiana, de la calle de Bárbara de Braganza. Aquí

—me decía—se ha hecho el capítulo más importante de la historia intelectual de la España contemporánea. Era joven y pensaba con hipérboles. Me recibió su hijo. Ortega tardó casi una hora en llegar a la cita. Traté de distraerme pasando revista a los lomos de los libros que cubrían una de las paredes, germanos en su mayoría. El alemán ejercía sobre mí una atracción extraña: detrás de aquella caligrafía gótica me parecía que estaba la gran panacea científica. Al fin me atreví a tomar un volumen de autor románico: Ernesto Renan. Estaba acotado con una letra menuda, redonda e incoada. De pronto oí la voz del maestro, carraspeante, rota; pero atractiva. Ortega y Gasset tenía entonces sesenta y tres años. Era un hombre bajo, más bien grueso, que vestía una chaqueta muy entallada de color gris oscuro y se anudaba al corto y robusto cuello una revoloteante y blanquiazul corbata de lazo. No tenía una cabeza de filósofo al estilo de la escultura grecolatina. Pero el suyo sí podía ser el rostro rudo y altanero de un terrateniente romano. Su rugosa nariz me hizo pensar de pronto en Cicerón. Me molestó que llevara la calva morosamente cubierta por una película de largos y engomados cabellos grises. Lo más atractivo eran sus ojos, siempre en movimiento, pequeños, profundos, luminosos, inquietantes, en los que danzaba la llama del genio. Se agitaba nerviosamente con un brazo a la espalda, en un gesto mitad torero, mitad napoleónico. No era el personaje que yo esperaba, el Sócrates del académico lienzo de David. Pero todo esto era decoración y apariencia. Yo pensaba en las páginas ubérrimas del *Espectador,* en las solemnes profecías cumplidas del *Tema de nuestro tiempo* y, sobre todo, en la ya inminente *Aurora de la razón vital*. Me miró como a un insecto. Nos sentamos. Se había olvidado de nuestra cita. Estaba asediado por los visitantes, me dijo. Aquella trivialidad introductoria me pareció más propia de un gran actor que de un maestro. Me preguntó por la vida universitaria. Ahora, a llenar el pozo, me aconsejó, que ya llegará el momento de sacar agua. Luego vino el monólogo. Le escuchábamos, él y yo. Reconocía cada una de sus frases. Las más procedían de *En torno a Galileo*. Segunda y tremenda decepción: nada nuevo. ¿Sería posible? Estoy preparando—anunció finalmente—unos papeles sobre

169

Velázquez. No pude resistir la tentación de preguntarle: «Pero ¿y el gran libro metafísico que todos esperamos?» Se levantó súbitamente. Fue un ataque fugaz de ira. Sus palabras irritadas y soberbias las he olvidado. Pero recuerdo perfectamente que le miré asombrado y preso de una decepción radical e irreversible. Se excusó: pero se me había desplomado el ídolo. No por eso dejé de leerle, de admirarle y de defenderle, aunque cada día con más serenidad.

4. ADAGIO FINAL

En 1948 fundó el Instituto de Humanidades, nombre solemne, cuya verdadera sustancia fueron las lecciones de Ortega, recién publicadas, *Sobre una nueva interpretación de la Historia Universal*. Resplandecía el burgués salón dorado del Círculo Mercantil e Industrial. Muy de tarde en tarde el denso público, en el que predominaban los legos, los *snobs* y las damas, oía el nombre, bastante maltrecho, de Toynbee. Fue la penúltima salida de Ortega. A ratos leía, a ratos improvisaba con un aire entre picaresco y desafiante. Sin duda le rejuvenecía atacar sin piedad a sus contradictores. Divagaba, recapitulaba, hacía largas y amenas excursiones marginales. Alguna vez, con justo empaque, anticipaba confidencialmente fragmentos de su teoría de la razón histórica. Así mantenía nuestras esperanzas en un gran libro sistemático que no llegó a escribir. Su despedida pública fue en el cine Barceló. Allí el Instituto de Humanidades se convirtió en espectáculo de masas. Las conferencias, muy elaboradas y ya impresas, se titularon *El hombre y la gente*. Una salva multitudinaria de aplausos prorrogó unos instantes su última lección. Y salió, sonriente y cansado, a saludar como los divos. Mutis glorioso, ciertamente.

Ortega fue un gran extravertido. Volcaba en la cuartilla y en la tertulia, con generosidad de pródigo, sus vivencias de observador hiperestésico y sus hallazgos de meditador incansable. Su curiosidad era universal y profunda y su capacidad de lectura considerable. No fue un improvisador. Gustaba de pulir el espíritu y la letra de sus escritos. Su palabra solía ser el eco de una página inédita. La soterrada raíz de su fecundidad era la tenacidad laboriosa. Una formidable sed de vivir y un insólito dinamismo interior alternaban con cortos paréntesis de depresión. Se sabía extraordinario; de ahí su inmenso orgullo y sus desplantes, su terquedad y una cierta majeza, que era la traducción personalísima y castiza de un alto concepto de sí mismo. Sólo así se explica su independencia. Porque aunque sus primeros giros se hicieron en el círculo de la Institución Libre de Enseñanza, y rindió ferviente homenaje a Giner, Costa y Azcárate, no fue un secuaz ni un incondicional de nadie y se mantuvo bastante al margen de las sectas político-intelectuales que se disputaban encarnizadamente el monopolio de la vida española. Su grupo fue él mismo: la *Revista de Occidente*.

Ortega era mundano en el sentido de que le interesaban las cosas, aunque fueran subalternas y pasajeras, y las gentes, incluso cuando su relieve no se fundaba en valores estrictamente intelectuales. Por eso amaba la vida y el diálogo; pero ni era un asiduo de la *high life* ni su perfil puede pensarse con los esquemas del dandysmo. No era un elegante, sino un hombre más bien tímido y

de modales y costumbres muy clase media. Otra
cosa es que le buscasen los políticos y las duque-
sas. Por añadidura, su salud inestable le traicio-
naba y ocasionalmente le deprimía y le obligaba
al relajamiento y a la soledad. No fue en absoluto
un personaje de salón, sino de tertulia, que es
algo muy burgués y bastante alejado del gran mundo. Era, pues, mundano en el sentido de que le
admiraron sus contemporáneos y de que no cayó,
como tantos pensadores, ni en el turrieburnismo
ni en la misantropía.

Le vi, por última vez, muerto en su despacho
de la calle de Montesquinza. Su yerno me dejó
a solas con él. Tenía todavía el rostro joven: se-
tenta y dos años. En la penumbra impresionaba
la serenidad de su anchurosa, fortísima frente. Me
acordé de su sentencia: «La muerte es, por lo
pronto, la soledad que queda de una compañía
que hubo» [12]. Recé en silencio. Ortega, aunque
bautizado y con una adolescencia piadosa, había
llegado a declarar en un discurso: «Yo, señores,
no soy católico, y desde mi mocedad he procurado

---

[12] *Obras Completas,* vol. V, pág. 63.

que hasta los humildes detalles de mi vida privada queden formalizados acatólicamente» [13]. En la mirada de todos flotaba la misma interrogante: ¿reconciliación religiosa *in extremis?* Yo me resisto a creer que aquel lúcido espíritu pudiera no reconocer en tan culminante trance al Dios de su adolescencia.

[13] ORTEGA Y GASSET, José, *Obras,* Edit. Espasa Calpe, Madrid, 1932, pág. 1395.

III. EL ESTILISTA

1. El clima y el género

Cuando Ortega lanza su primer volumen propiamente dicho en 1914, la reforma literaria noventayochista ya está hecha. Atrás quedan la *Sonata de otoño* (1902), de Valle-Inclán; *La voluntad* (1902), de Azorín; *La busca* (1904), de Baroja; *La vida de don Quijote y Sancho* (1905), de Unamuno, y *Las cerezas del cementerio* (1910), de Miró, es decir, las cinco columnas de la nueva prosa. También el alto pronunciamiento de los poetas ha triunfado: *La soledad sonora* (1908), de Juan Ramón, y *Campos de Castilla* (1910), de Machado. El estilo de Ortega nace, pues, bajo un signo maduro de solsticio de verano, en una hora literaria propicia y cenital. Su sintaxis crece sobre el mantillo caldeado por Valle y cuadriculado por Azorín. Sin estos nombres la frase orteguiana sería impensable. Es significativo que la segunda vez que el joven Ortega toma la pluma sea para asombrarse de la magia valleinclanesca. Su mejor ensayo de crítica literaria versa sobre los azorinianos primores. Y su primer pseudónimo, muy relamido por cierto, está nimbado de resonancias bradominescas y rubenianas: Rubín de Cendoya. En ese espléndido pámpano de la vid noventayochista que es el castellano de Ortega, se dan cita tensa e inestable el modernismo postrubeniano y el clasicismo arcaizante, que perfilaron las dos caras de nuestra reforma literaria finisecular.

Entre los escritores extranjeros, los que más huella han dejado en el estilo de Ortega son Chateaubriand y Renan. La voluntad de encantamiento, el yoísmo romántico, la voluptuosidad y el modo de construir las imágenes son de Chateaubriand, a quien Ortega llamaba nada menos que el primero de los «semidioses literarios» [14]. Esa ten-

---

[14] *Obras Completas,* vol. IV, pág. 437.

sión entre la forma refrenada y la significación vehemente que es Renan, es decir, un clasicismo apasionado, un lirismo frío, una claridad poética y una concisión densa de significaciones y resonancias, es lo que Ortega recibió de un autor, cuyos libros le acompañaron «desde niño» [15] y a quien consideraba «santo de su particular devoción» [16]. También desde la perspectiva gala se descubre el empeño orteguiano de síntesis entre los elementos clásicos y barrocos. En rigor, el estilo de Ortega se formó entre escritores castellanos y franceses. Y éstos fueron muy contados. Ninguna influencia importante dejaron en la prosa orteguiana ni la literatura alemana ni la inglesa.

El género literario de Ortega fue el ensayo, es decir, el escrito breve sobre un tema noble, tratado con claridad, desenfado y voluntad de estilo. Muy frecuentemente sus ensayos se reducían hasta los parvos límites del artículo periódico y por eso la mayor parte de los libros de Ortega, aunque tienen la apariencia de volúmenes hechos y derechos, son colecciones más o menos trabadas de

---

[15] *Obras Completas,* vol. I, pág. 438.
[16] *Obras Completas, loc. cit.*

artículos sueltos. ¿Por qué no escribió ningún libro cabal? A la forzada acusación bergsoniana, por tantos compartida, de que era un simple *journaliste de génie,* Ortega respondió con una justificación aguda, pero circunstancial, en el prólogo a la primera recopilación de sus obras: «Las formas del aristocratismo *aparte* han sido siempre estériles en esta península. Quien quiera crear algo —y toda creación es aristocracia—tiene que acertar a ser aristócrata en la plazuela. He aquí por qué, dócil a la circunstancia, he hecho que mi obra brote en la plazuela intelectual que es el periódico» [17]. El argumento era verdadero; pero no bastante para explicar un asistematismo casi consustancial con su modo de pensar. Ortega, que en varias ocasiones no desdeñó el título de periodista, hizo su obra en la Prensa por que su curiosidad intelectual le llevaba tempestuosamente de un tema a otro, y le hacía muy difícil detenerse en uno hasta agotarlo; porque le atraía lo circunstancial, vinculado al aquí y al ahora; porque le urgía ver su pensamiento hecho lección pública

---

[17] *Obras Completas,* vol. VI, pág. 355.

y porque antes que metafísico era escritor y pedagogo. De ahí el halo frívolo de tantas meditaciones suyas. Por eso cuando en la última etapa de su vida cambia la actualidad por la eternidad, el ensayo por el tratado y, en definitiva, el artículo por el libro, su pluma se torna perezosa y lenta hasta extremos insospechados. En los últimos veinte años, el que había sido uno de los más fecundos escritores de su tiempo se convierte, prácticamente, en laborioso parturiento de dos grandes libros: *El hombre y la gente* y *La aurora de la razón vital*, al parecer no escrita.

2. LA EVOLUCIÓN ESTILÍSTICA

La rancia sentencia de Buffon se cumple en Ortega de modo plenario: su estilo era el hombre. Por eso evoluciona siguiendo una curva biológica con un fugaz orto balbuciente, un largo crepúsculo mudo y un mediodía estallante, rotundo y locuaz. Los primeros artículos de Ortega son inseguros, repulidos y, por ello, con insalvables hiatos discursivos, disimulados por la cohesión puramente tipográfica del párrafo. Pero hay voluntad de belleza y lucha por la expresión. En las *Meditaciones del Quijote* la pluma discurre todavía embridada; pero ya con altanería y al servicio de audacias formales. Empiezan el regodeo en el giro inédito, la voluptuosidad de la metáfora, la rareza de los neologismos y de los arcaísmos, las escapadas líricas. Y siempre, como inapelable dueño y señor del clima orteguiano, el énfasis. El resultado es una prosa sexuada y de alta escuela, que trota rizando los remos y, de vez en cuando, se encabrita y relincha.

La vida prosigue y el estilo de Ortega se dilata, enriquece y apresura. Llega un momento en que casi todas las voces cobran sentido figurado. Cada idea es morosamente dicha y redicha en los más varios tonos de la escala cromática. De las más alejadas disciplinas vienen aprestos lexicográficos para remozar el vocabulario. Los adjetivos se encadenan y reduplican, prevalecen los más llamativos y percutientes. Hay frases en que las palabras van cayendo como exorcismos, como campanadas. El escritor es el sumo pontífice de una polifónica liturgia. Hasta lo trivial se torna grave, dramático, trascendental y superlativo. El énfasis raya en engolamiento, el patetismo en teatralidad, la seducción en donjuanismo y el refinamiento, como lamenta su más inteligente discípulo, José Gaos, en cursilería [18]. Mimado en exceso, como los músculos de circo y los pétalos de laboratorio, el estilo de Ortega, que gana en espectacular brillantez y en *sex appeal,* se va amanerando. La atmósfera creada está transida de erotismo sublimado. Ortega escribe, por expresarlo con pinceladas de su autorretrato, «como el pavo real hace la rueda con su cola y el ciervo en otoño brama [19]. Todos los ingredientes culteranos del modernismo se ponen al servicio de un empaque conceptual que lo potencia. Es el grandilocuente delirio barroco. Hemos llegado a las páginas postreras de *El Espectador,* irresistiblemente fascinadoras para la sensibilidad juvenil. Hay una paradigmática, ya inevitable en las antologías; es la obertura del ensayo *Dios a la vista.* Hela aquí:

---

[18] Gaos, José, *Sobre Ortega y Gasset,* México, 1957, página 91.

[19] Ortega y Gasset, José, *Prólogo para alemanes,* página 45.

«En la órbita de la Tierra hay parhelio y perihelio: un tiempo de máxima aproximación al Sol y un tiempo de máximo alejamiento. Un espectador astral que viese a la Tierra en el momento en que huye el Sol pensaría que el planeta no había de volver nunca junto a él, sino que cada día, eviternamente, se alejaría más. Pero si espera un poco verá que la Tierra, imponiendo una suave inflexión a su vuelo, encorva su ruta, volviendo pronto junto al Sol, como la paloma al palomar y el *boomerang* a la mano que lo lanzó. Algo parecido acontece en la órbita de la historia con la mente respecto a Dios. Hay épocas de *odium dei,* de gran fuga lejos de lo divino, en que esta enorme montaña de Dios llega casi a desaparecer del horizonte. Pero, al cabo, vienen sazones en que súbitamente, con la gracia intacta de una costa virgen, emerge a sotavento el acantilado de la divinidad. La hora de ahora es de este linaje, y procede gritar desde la cofa: ¡Dios a la vista!» [20].

En este texto, que todos hemos encontrado bellísimo alguna vez y que responde al apotegma «Poesía no es naturalidad, sino voluntad de amaneramiento» [21], Ortega toma el parhelio, que es una especie de aurora boreal, por el afelio; define el perihelio como máximo alejamiento, cuando

---

[20] *Obras Completas,* vol. II, pág. 485.
[21] *Obras Completas,* vol. III, pág. 577.

es máxima proximidad; confunde el tiempo con el momento; aplica impropiamente a la astronomía la noción de eviternidad, que es teológica; califica inexactamente de punto de inflexión a lo que es pura y simplemente el vértice de una elipse; olvida que bumerang es voz castellanizada; llama a Dios montaña y acantilado, lo sitúa a sotavento por razones inimaginables, y acaba encaramándose nada menos que a la cofa. Todo ello para afirmar que la teodicea ganaba actualidad filosófica. Resulta difícil expresar con más imprecisión técnica y con mayor complejidad retórica algo tan sencillo. Para tratar *in extenso,* casi por única vez en su vasta obra, uno de los temas más metafísicos que existen, Ortega se sitúa en los antípodas del rigor y de la sobriedad, que son las dos coordenadas del estilo filosófico. Y, sin embargo, ¿quién duda de que esta doble invocación sideral y geográfica provoca expectación y sobrecogimiento? Pero a Ortega no cabe juzgarlo desde la perspectiva poética, porque no se consideraba del linaje de Espronceda, sino de Francisco Suárez.

A medida que Ortega se ensimisma y abandona el menester de espectador, su estilo adelgaza y se fortalece. Es el tiempo de la *Rebelión de las masas, En torno a Galileo, Ideas y creencias* e *Historia como sistema*. La frase se hace más ceñida, magra y enjuta, la preocupación por el destello deja paso al esfuerzo por la exactitud y la densidad. El prurito de novedad cede a la voluntad de corrección. Diríase que Ortega, triunfador en todos los niveles estilísticos y domador de los más dispares recursos idiomáticos, está ahito de exhibicionismo y, convicto de afectación, se encamina al orden clásico. *La idea de principio en Leibniz,* cuya primera redacción data de 1947, es el libro más técnico de Ortega, el más sobrio, y a la vez uno de los mejor escritos de la literatura filosófica castellana. En esta obra incompleta, pero capital, prevalece la medida, y la ganga retórica es mínima. De tarde en tarde el hastío del antiguo almibaramiento lleva a Ortega a acentuar, acaso por contraste, una cierta matonería que linda con lo chabacano[22]. Pero estas debilidades son mo-

---

[22] He aquí media docena de los numerosos desplantes que salpican *La idea de principio en Leibniz y la evolución de la teoría deductiva,* Edit. Emecé, Buenos Aires, 1958: «La filosofía es bizca» (pág. 33), «el físico es este guardarropista ciego del Universo material» (pág. 41), «por muy pura

mentáneas y las esporádicas evasiones efectistas,
no siempre de buen gusto, parecen sólo destina-
das a recordarnos que en el subconsciente literario de Ortega sigue Góngora redivivo. Nada de
esto impide, sin embargo, que las notas predominantes en las páginas de madurez sean el equilibrio y la tersura. La última etapa de la vida del
escritor es prácticamente muda. El ciclo se cierra
con la parquedad límite del silencio meditabundo.

Hay, pues, una evolución estilística en Ortega,
discontinua, claro está, con impaciencias y retro-
cesos; pero clara y unívoca. El sentido de esta
mutación es el de la simplicidad, la pureza y la
desnudez crecientes. Es una vía de perfección. Las
páginas más báquicas y triunfales, las barroqui-

---

que sea una intuición y aunque sea la Purísima Intuición»
(pág. 92), «Platón que ha sido el Missisipí de la beatería»
(pág. 175). Refiriéndose al Dios de la teodicea aristotélica
escribe: «Mucho más, pues, que al Dios cristiano o al
griego se parece a un tractor *ocho cilindros* o a un pachón
de asador que hace girar la espetera del Universo» (pág. 243).
«La relación del Ente con sus inferiores... será de un
seudogénero, la de un género *ómnibus,* o como esos trasat-
lánticos de los últimos tiempos antes de la guerra... que
llevaban *clase única,* donde por lo mismo, cabían todos y
nadie estaba a gusto» (pág. 265).

zantes de *El Espectador,* y aun las prologales para
el conde de Yebes, son las que ya nos disuenan
apenas transcurridos unos cortos decenios; son las
que perecerán, porque, pese a la altura de su vuelo, están taradas por el amaneramiento, como reconoció en ocasión apologética su entrañable amigo Juan Ramón Jiménez [23].

3. DECADENTISMO

En Ortega confluyen el neoclasicismo cartesiano y sereno de Azorín y el febril, tumultuoso ba-
rroquismo de los modernistas. Esta última corriente es la más caudalosa y, por ello, la dominante,
incluso en la etapa final, relativamente ponderada
y ceñida. Todos los elementos del modernismo
están en Ortega: el lenguaje figurado, la confusión de los límites entre la prosa y el verso, la
discontinuidad en la tensión y en el brillo, el
carácter fragmentario de las composiciones, la
guerra al tópico literario y, envolviéndolo todo,

[23] JIMÉNEZ, Juan Ramón, *Recuerdo a José Ortega y
Gasset,* en «Clavileño», núm. XXIV, pág. 49.

anarquía y romanticismo. Uno de los axiomas supremos de la preceptiva modernista, el verso de Rubén «¿quién que es no es romántico?», tiene en Ortega una traducción trascendentalizada que revela su vera matriz estilística. «La más honda intención del romanticismo radica en creer que las emociones constituyen una zona del alma humana más profunda que razón y voluntad... En este sentido, todos somos hoy románticos, y yo ilimitadamente» [24].

La doble fuente del estilo orteguiano, y su consiguiente hibridismo, le han hecho no ya inimitable, sino improrrogable, es decir, inadaptable a otras coyunturas personales o sociales. De ello hay, por desgracia, demasiadas pruebas no sólo entre sus epígonos, sino en el ancho campo de las promociones de escritores que le han sucedido. A unos se les ha volatilizado el idioma en una palabrería gárrula y vagorosa; a otros la frase, apenas configurada, se les ha cuajado en un pseudoconceptismo estreñido; los más se han limitado a sobar sin amor ni pudor, hasta el encallecimien-

---

[24] *Obras Completas,* vol. II, pág. 235.

to, los consabidos epítetos orteguianos—grave, crucial, radical, egregio, riguroso, dramático, etcétera—, a remedar, impotentes, sus audacias metafóricas y a trivializar sus diestras fórmulas colombinas. A Ortega, como a todos los manieristas excelsos, hay que gozarle, olvidarle y remontarse luego a sus límpidos y fecundos veneros nutricios.

Pero las constantes decadentistas de Ortega no impiden que sea un fabuloso estilista, al que no se puede leer, como él mismo afirmaba de Góngora, «sin sentir a la vez fervor y terror»[25]. Sin embargo, la magnitud de su nombre literario viene dada por su doble dimensión plástica y doctrinal. Nunca se había dado entre nosotros la coincidencia de un tal refinamiento formal con semejante caudal ideológico. Por eso resulta el más eximio de nuestros escritores didácticos, superior al propio Quevedo. Para buscarle paralelos hay que acudir a otras áreas lingüísticas, a Nietzsche, por citar uno moderno, o a Platón, por dar una referencia clásica, aunque en aquél había más autenticidad y en éste muchísima más grandeza, lo que

[25] *Obras Completas*, vol. III, pág. 580.

no impidió que en uno de sus últimos libros metafísicos afirmara el inmarcesible Aristóteles que la teoría platónica de las ideas era palabrería y metáfora [26]. Por lo visto, éste ha sido siempre el sino de los pensadores poetas. Ortega debió de ir percatándose lentamente de ello. Así se explica su metamorfosis estilística. Es revelador que en uno de sus últimos escritos declare: «Para el pensador, el idioma se convierte en puro portador de ideas hasta el punto de que mientras sólo éstas deben permanecer visibles, la lengua ha de intentar esfumarse» [27]. Y acude a la historia de la literatura filosófica para emitir dos juicios aclaratorios tan expresivos como sorprendentes: «Platón era demasiado escritor... y su modo de expresarse, literario, no filosófico» [28]; en cambio, acerca del intrincado, solecístico y bárbaro Heidegger llega a declarar que posee «un maravilloso estilo de filósofo» [29]. En el fondo de estos textos que

[26] ARISTÓTOLES, *Metafísica,* XIII-5.
[27] ORTEGA Y GASSET, José, *Martin Heidegger und die Sprache der Philosophen,* en «Universitas», septiembre 1954, página 898.
[28] *Op. cit.,* pág. 902.
[29] *Op. cit.,* pág. 898.

proceden del breve artículo *Martin Heidegger und die Sprache der Philosophen,* publicado en septiembre de 1954, Ortega se condena, al menos en la etapa literariamente más brillante de su vida. Este sentirse de vuelta de su propio estilo, hecho confirmado por la madurez de su prosa, es una de las más extraordinarias pruebas del talento y de la plenitud de Ortega, es una autodepuración espontánea y heroica, que nos hace pensar en ese camino de Damasco que es el proceso formal de genios como Goya y Picasso.

IV. EL POLITICO

1. ACCIÓN PÚBLICA

Todo a lo largo de su vasta obra, y especialmente en sus escritos sobre la cosa pública, Ortega no cesa de confesar con monótona reiteración «la escasez de mis dotes políticas y mi poca vocación para el ejercicio del Gobierno» [30]. Esta declaración concuerda armónicamente con su vocación de ideador y su convicción de que «hay que decidirse por una de estas dos tareas incompatibles: o se viene al mundo para hacer política, o se viene para hacer definiciones» [31]. Quizá por eso cuan-

---

[30] *Obras,* pág. 1333.
[31] *Obras Completas,* vol. III, pág. 614.

do en 1931 llegó como portavoz de la *Agrupación al servicio de la República* a las Cortes Constituyentes, subrayó que lo había hecho «sin complacencia» [32] y «harto a redropelo» [33], y precisó que su ambición política era simplemente ser «jefe de negociado en el Ministerio de la Verdad» [33bis]. A pesar de estas confesiones, Ortega resulta ser, después de Maeztu, el intelectual español más politizado del primer tercio del siglo xx. Su actuación en torno al Poder es una faceta de su vida, casi tan capital como la literatura o el pensamiento. ¿Cómo desenredar esta paradoja?

La preocupación política de Ortega es temprana y profunda. Una de sus primeras conferencias es la pronunciada en Bilbao en 1910 con el título *La pedagogía social como programa político.* A ésta le sigue en importancia *Vieja y nueva política,* leída en el teatro de la Comedia de Madrid en 1916 con motivo de la fundación de la *Liga de educación política española.* Su fórmula es rotunda: «Liberalismo y nacionalización propondría yo como lemas de nuestro movi-

[32] *Obras,* pág. 1340.
[33] *Obras,* pág. 1356.
[33 bis] *Obras,* pág. 1350.

miento» [34]. Pero la nacionalización orteguiana, que es una constante en su programa ciudadano, no es la estatificación socialista, sino la intervención política de toda la nación frente a las hegemonías de grupo, clase o casta.

Fracasado su primer empeño de crear una opinión organizada, Ortega se consagra a elaborar una doctrina. En 1917 publica *Democracia morbosa;* en 1920, *España invertebrada;* en 1925, *Sobre el fascismo;* en 1927, *Mirabeau o el político,* y en 1930, *La rebelión de las masas.* Pero la crisis del antiguo régimen en los años postreros de la Dictadura le invita de nuevo a la acción, y se decide a descender a la arena como un luchador de primera línea y a convocar a los españoles para constituir una «gigantesca Liga» y elegir una «Junta magna» [35]. De entonces son los beligerantes artículos, no exentos de cierta demagogia, que luego recogió en el volumen *La redención de las provincias y la decencia nacional* (1931). Famosa es su caricaturesca hipérbole, «es sumamente difícil encontrar en todo el ámbito de la historia,

---

[34] *Obras Completas,* vol. I, pág. 299.
[35] *Obras,* pág. 1321.

incluyendo los pueblos salvajes, un régimen de Poder público como el que ha sido de hecho nuestra Dictadura» [36]. En sistemática discrepancia con lo establecido, sus coincidencias finales con los republicanos y un cierto resentimiento personal contra el Rey, le llevaron a un antimonarquismo concreto, cuya quinta esencia está en el inolvidable y desventurado artículo *El error Berenguer*, publicado en noviembre de 1930. Las últimas líneas contienen este apóstrofe patético y erudito: «¡Españoles, vuestro Estado no existe! ¡Reconstruidlo! *Delenda est Monarchia!*» [37].

Como fundador de la *Agrupación al servicio de la República*, Ortega redacta el *Manifiesto* de febrero de 1931, en donde invita a los españoles a que se liberen «de la domesticidad y el envilecimiento en que los ha mantenido la Monarquía, incapaz de altas empresas y de constituir un orden». Su pluma dicta las consignas durante las semanas críticas desde la revista «Crisol». Ortega parece que ha de incorporarse por derecho propio a la minoría directiva del nuevo régimen. Pero los políticos

[36] *Obras*, pág. 1309.
[37] *Obras*, pág. 1312.

profesionales—Prieto a la cabeza—le desdeñan, y
Ortega se ve constreñido a retirarse tras las bam-
balinas, «a la vera, procurando no estorbar» [38].
Poco a poco se va distanciando del Estado que tan
decisivamente contribuyó a instaurar. Primero pide
la «rectificación de la República» [39]; luego trata de
fundar «un nuevo partido de dimensión enorme,
de rigurosa disciplina, que sea capaz de imponer-
se, de defenderse frente a todo partido partidista» [40]. Esta es la tesis cuasi fascista de su discurso
pronunciado en el cine de la Opera el 6 de diciembre de 1931. También este llamamiento es
desoído, y Ortega, desilusionado, dimite de la acción pública para ausentarse de ella hasta su muerte, es decir, durante el cuarto de siglo que todavía
tenía ante sí.

La vida política de Ortega fue una sucesión de
clamorosos fracasos. Consciente de ello retiró de
la gran edición de sus *Obras Completas* (Madrid,

---

[38] *Obras,* pág. 1386. Un teórico del socialismo como Araquistáin le llama irónicamente «profeta del fracaso de las
masas» (ARAQUISTÁIN, Luis, *José Ortega y Gasset* en «Levia-
tán», núm. 8, pág. 4).

[39] *Obras,* págs. 1354, 1388 y 1399.

[40] *Obras,* pág. 1402.

1946, 6 vols.) sus dos libros más estrictamente políticos. Sus empeños de movilizar a las gentes en torno a sus consignas—la Liga, la Junta magna, la Agrupación y el gran partido—se quedaron en agua de borrajas, y su propósito de contribuir a edificar la República falló estruendosamente. Su único objetivo logrado fue exclusivamente negativo: el derrocamiento de la Monarquía. Esta fue la obra, según sus propias palabras, de los obreros y los intelectuales [41]; y a éstos los movilizó y acaudilló Ortega, indiscutiblemente. Por eso saludó a la República como a una de las grandes creaciones del genio español, emparejándola al Quijote [42]. Esta única partida del activo de Ortega es la que, precisamente, obliga a juzgarle con mayor rigor, pues le hace responsable en alto grado de una de las más catastróficas quiebras constitucionales de la España contemporánea. Sobre aquel acontecimiento luctuoso, la Historia, con el

---

[41] «El resultado fué que el nuevo régimen aparece traído exclusiva o casi exclusivamente por los obreros y los intelectuales» *(Obras,* pág. 1377).

[42] «...casi todo lo interesante de la historia de España ha salido de la cárcel—el *Quijote* y la República» *(Obras,* página 1328).

testimonio irrecusable de las consecuencias, ha pronunciado ya su inapelable sentencia condenatoria.

2. ARISTOCRATISMO

La decisiva y espectacular participación de Ortega en la liquidación de la Monarquía le ha solido presentar ante los ojos del observador lego y distante como un revolucionario; y su heterodoxia religiosa parece alinearle *prima facie* con las llamadas izquierdas. Pero no cabe incurrir en tan tosco error de perspectiva y de simplificación. Para cualquiera que haya meditado su obra, resulta evidente que Ortega y Gasset es un pensador político de signo rotundamente conservador. Es cierto que él combatió este vocablo, pero dándole una interpretación peyorativa y por razones circunstanciales y tácticas [43]. Su influencia en la ideología de Falange Española la proclamó el propio José Antonio Primo de Rivera. Y Ortega

---

[43] *Obras,* pág. 1391.

reinvidicó públicamente la prioridad en la formulación de la teoría del caudillaje que «casi con seguridad tuvo una influencia grande más tarde en un grupo de la juventud española que ha ejercido una intervención muy enérgica en la existencia española» [44]. En el siglo de los fascismos resulta difícil encontrar un defensor de las aristocracias naturales y un debelador de las masas más encendido que Ortega. Llega a escribir libros para denunciar «este fenómeno mortal de insubordinación espiritual de las masas contra toda minoría eminente» [45], y para proclamar que «la gran desdicha de la historia española ha sido la carencia de minorías egregias y el imperio imperturbado de las masas» [46].

Este aristocratismo sublimado de Ortega le hace, por debajo de ciertas adhesiones protocolarias, reticente y hostil frente a la democracia. Los juicios más acres son de 1917. «La época en que la democracia era un sentimiento saludable y de

---

[44] *Una interpretación de la Historia Universal.* Edit. Revista de Occidente, Madrid, 1959, pág. 157.
[45] *Obras Completas,* vo.l III, pág. 95.
[46] *Obras Completas,* vol. III, pág. 128.

impulso ascendente, pasó. Lo que hoy se llama democracia es una degeneración de los corazones..., no es en grande parte sino la purulenta secreción de almas rencorosas» [47]. «Hoy asistimos —proclama en 1930—al triunfo de una hiperdemocracia en que la masa actúa directamente sin ley, por medio de materiales presiones, imponiendo sus aspiraciones y sus gustos» [48]. «La legitimidad democrática—añade en 1949—tiene un carácter deficiente y feble» [49]. Su antipatía hacia la voluntad general no puede negarse, y es que el culto al hombre superior resulta incompatible con la sumisión a las muchedumbres. No obstante, intentó conciliar su exaltación de los egregios, con el imperio, entonces vasto y temible, de la mitad más uno. La fórmula es sagaz, pero le traiciona: «No hay salud política—escribe en 1925—cuando el Gobierno no gobierna con la adhesión activa de las mayorías sociales. Tal vez por esto la política me parece siempre una faena de segunda clase» [50].

---

[47] *Obras Completas*, vol. II, págs. 136-137.
[48] *Obras Completas*, vol. IV, pág. 148.
[49] *Una interpretación de la Historia Universal*, pág. 169.
[50] *Obras Completas*, vol. II, pág. 497.

Consecuente con su aristocratismo esencialmente antidemocrático, Ortega se ve obligado a revisar sus exagerados trenos ante la peligrosidad del Estado, dichos para reforzar su crítica del hombre masa [51], y a propugnar, cuando por primera vez se acerca a los aledaños del Poder, «la necesidad de construir un Estado fuerte... que, quiera o no, ha de intervenir allí donde antes practicaba abstención, o, mejor dicho, fingía practicarla» [52]. Y en vez de estremecerse ante la estatolatría, se vuelve valientemente hacia el flanco descubierto y declara ante las Cortes Constituyentes: «El estatismo es el riesgo del Estado fuerte; pero—repito—que no hemos acertado todavía los hombres a vivir sin riesgo» [53]. Al injertarse este autoritarismo en el esquema del Estado demoliberal, se sigue un fortalecimiento de los poderes decisorios frente a los deliberantes. También en este punto fue explícito Ortega: «Hoy sentimos la necesidad de que el Parlamento sea magro y sobrio y que su intervención en la vida del Estado

---

[51] *Obras Completas,* vol. IV, págs. 221 y siguientes.
[52] *Obras,* pág. 1365.
[53] *Obras,* págs. 1365-6.

se reduzca al trabajo en las comisiones a golpes
secos»[54]. Con ello se completa el perfil de una
«acerada democracia de Estado»[55], «poco parlamentaria y charladora, técnica y eficaz»[56]. Apenas llegado a la Cámara, lo primero que pidió
Ortega a los diputados fue la sumisión discente.
Se comportaba exactamente como lo contrario de
un demagogo.

3. LA MONARQUÍA

Esta robusta idea del Poder parece compade-
cerse muy poco con el consabido antimonarquismo de Ortega. Pero si se cala bajo la epidermis
de su pensamiento se descubre que no era adver-
so, por principio, a la institución real. Una de las
nociones capitales del pensamiento político-socio-
lógico orteguiano es la de legitimidad, «feliz aña-
dido y afortunada virtud»[57] del Estado mejor.
Un poder es legítimo cuando «está fundado en la

---

[54] *Obras*, pág. 1367.
[55] *Obras*, pág. 1335.
[56] *Obras*, pág. 1356.
[57] *Una interpretación de la Historia Universal*, pág. 230.

creencia compacta que abriga todo pueblo de que, en efecto, es quien tiene derecho a ejercerlo» [58]. Es, pues, el resultado del común consenso y el más alto testimonio de la salud política. La teoría orteguiana de la legitimidad desemboca en una exaltación histórica de la Monarquía: «La legitimidad de la realeza es la primigenia, prototípica y ejemplar; que, por lo tanto, es la única originaria y que, larvadamente, perdura bajo toda otra forma...; cuando ha habido en un pueblo de Grecia, de Italia o de Europa plena y pura legitimidad, ésta ha sido siempre la Monarquía, queramos o no» [59]. Evidentemente, no se trata de una adhesión política de Ortega a la Corona, sino del reconocimiento imparcial de una realidad objetiva; pero en el acta que, como sociólogo, levanta Ortega, hay una valoración positiva para la realeza. El hecho queda plenamente de manifiesto cuando se introduce el término republicano de comparación: «Ha habido una legitimidad primaria, fundamental y prototípica, que es la Monarquía, y a ésta sucedió otra: la legitimidad funda-

---

[58] *Op. cit.*, pág. 174.
[59] *Op. cit.*, pág. 167.

da parcial o totalmente en la soberanía popular, la democrática, que es también o *aún* efectiva legitimidad, pero que lo es ya en forma deficiente, insaturada, superficial y sin raíces profundas en el alma colectiva» [60]. Estos supuestos fundamentales, aunque manifestados tardíamente, contribuyen a esclarecer las actitudes concretas del pensador ante la cosa pública. En 1914 no oculta su creencia de que «la Monarquía puede, si quiere, hacerse solidaria de las esperanzas españolas y entretejerse hondamente con ellas» [61]. Y todavía en 1930, después de una apología de César, exclama: «¡República, Monarquía! Dos palabras que en la Historia cambian constantemente de sentido *auténtico,* y que por lo mismo es preciso en todo instante triturar para cerciorarse de su eventual enjundia» [62]. Este relativismo es el que le lleva a calificar y a adjetivar al reo en el curso de las últimas requisitorias. La culpable es la Monarquía «de Sagunto» [63], es decir, la vituperada formula-

---

[60] *Op. cit.,* pág. 168.
[61] *Obras Completas,* vol. I, pág. 291.
[62] *Obras Completas,* vol. IV, pág. 258.
[63] *Obras,* pág. 1359.

ción canovista del Reino. El antimonarquismo de Ortega tiene, pues, un carácter histórico y oportunista: circunstancial.

4. Conservatismo

La carga de este Estado formalmente conservador podría ser marxista, si no se tratara de un pensador que, como Ortega, disentía de la interpretación materialista de la Historia [64], y de los fundamentos doctrinales de aquel gran luchador a quien llamaba el «judiazo Carlos Marx» [65]. Ortega profesa la más profunda antipatía sociológica y política hacia la revolución. «No creo en la adecuada fertilidad de ninguna revolución, ni de las futuras, ni de las pasadas, incluyendo la más ilustre de Francia» [66]. «Mientras no se destierre de discusiones y artículos esa *revolución* de que tantos se reclaman... La República no habrá recobrado su tono limpio, su son de buena ley» [67]. Su

[64] *Obras Completas*, vol. II, pág. 520, y vol. V, pág. 495.
[65] *Obras Completas*, vol. V, pág. 495.
[66] *Obras*, pág. 1318.
[67] *Obras*, pág. 1374.

conservatismo, ya sobradamente explícito, acaba de definirse por contraste frente a su antípoda el radicalismo, o sea, la «violencia y arbitrariedad partidista» [68]. Su discreción parlamentaria desaparece, y se torna temeridad amenazadora cuando anuncia: «Lo que España no tolera ni ha tolerado nunca es el *radicalismo,* es decir, el modo tajante de imponer un programa» [69]. Y en los momentos más difíciles, como cuando se discute de las relaciones entre la Iglesia y el Estado, recomienda «nobleza» y «cautela» [70], dos virtudes típicamente conservadoras.

El signo contrarrevolucionario y realista de Ortega se esclarece cuando aborda la cuestión social, que en su pensamiento es relativamente secundaria, porque al lado del tremebundo peligro de la desaparición de la vida personal en las aglomeraciones masivas, «el tema de la justicia social, con ser tan respetable, empalidece y se degrada hasta parecer retórico e insincero suspiro romántico» [71]. Hay que hacer justicia a las clases económica-

[68] *Obras,* pág. 1374.
[69] *Obras,* pág. 1373.
[70] *Obras,* pág. 1372.
[71] *Obras Completas,* vol. IV, pág. 133.

mente peor dotadas; pero no aplicando el programa simplista del reparto, de la igualdad al bajo nivel y de la aristofobia. «España—es su tesis— tiene que ser más rica, para que vosotros, los obreros, podáis ser menos pobres; y eso, aunque las voluntades de todos los españoles, mágicamente unidas, decidiesen vuestro mejoramiento»[72]. Hay una frase final y sintética que, precisamente por su exageración, es la más tajante repulsa del marxismo: «El beneficio del obrero no puede venir de la renta capitalista»[73]. Por eso apela a todas las clases para reconstruir la economía nacional. Sus llamamientos a la burguesía son de una insistencia extremada. «Un aumento del volumen de la riqueza nacional no se logra si en la nave del socialismo no acertáis con entusiasmo a embarcar al capitalista»[74]. Y en otro lugar: «Ni este Gobierno, ni ningún otro posible de España o de fuera, puede hacer nada serio sin contar con los capitalistas»[75].

---

[72] *Obras*, pág. 1345.
[73] *Obras*, pág. 1400.
[74] *Obras*, pág. 1344.
[75] *Obras*, pág. 1349.

La posición orteguiana ante el Derecho es de un conservatismo teórico tan extremado que bordea la fosilización y sacralización de la ley. La inmutabilidad es la nota jurídica esencial: «el Derecho es lo irreformable» [76]. Y se enfrenta, casi colérico, con el reformismo propio de la edad contemporánea. «A fuerza de hablar de *justicia* se ha aniquilado el *jus*, el Derecho, porque no se ha respetado su esencia, que es la inexorabilidad y la invariabilidad. El reformismo del Derecho, al hacerlo inestable, mudadizo, lo ha estrangulado» [77]. Este firme inmovilismo orteguiano está en contradicción no sólo con cualquier filosofía jurídica, sino con los hechos, y, singularmente, con los más positivos y recientes. La historia del último siglo es, en términos legales, la de la reforma de la propiedad y la de la formación del derecho laboral. Y el gran saldo jurídico de esta centuria es precisamente una profunda innovación de los códigos, a pesar de lo cual estamos todavía muy lejos de ese ideal tan apremiante como inasequible, que es la justicia social.

---

[76] *Una interpretación de la Historia Universal,* pág. 338.
[77] *Op. cit.,* pág. 341.

5. Despotismo ilustrado

Por mucho que se quiera rastrear en el programa orteguiano de rectificación republicana, no se hallará ninguna concesión ni al radicalismo, ni al marxismo. Las reformas políticas y económicas propuestas están pensadas con espíritu conservador: sin resentimientos, desde planteamientos empíricos y minoritarios, y con la constante preocupación de salvar el pasado, porque «el hombre no es nada positivo si no es continuidad» [78]. La ciudad ideal de Ortega era la aristocracia. Sus esperanzas estaban puestas en una *élite* gobernando para el pueblo; pero no a su dictado. «Un Estado es perfecto cuando, concediéndose a sí mismo el mínimum de ventajas imprescindible, contribuye a aumentar la vitalidad de los ciudadados» [79], y por eso «ha de tener la limpieza, la exactitud y el rigor de un taller racionalizado, de una clínica perfecta, de un laboratorio en forma» [50]. Esto

[78] Ortega y Gasset, José *El hombre y la gente*. Editorial Revista de Occidente. Madrid 1958, pág. 56.

[79] *Obras Completas,* vol. III, pág. 627.

[80] *Obras,* pág. 1336.

que exhala un intenso y penetrante aroma dieciochesco, se parece mucho a lo que los historiadores del pensamiento político han llamado el despotismo ilustrado. Algo considerable y muy déci-
monono separaba, sin embargo, a Ortega del buen
rey Carlos III: la fe liberal, y no mucho más que
la fe porque, en su trato intelectual, nuestro filósofo la practicó con cierta tibieza.

Ortega, pese a considerarse poco capaz para la
política por razones de principio y de hecho—lo
que demostró ampliamente la experiencia—, le
consagró una parte muy sustancial de su vida.
Esta paradoja no puede relegarse al capítulo de
los absurdos biográficos; hay que intentar esclare-
cerla. Ortega hizo política por patriotismo y por
vocación pedagógica. A su carácter, para ser el
de un español arquetípico, sólo le faltó el sentido
religioso y trágico de la vida. Los demás rasgos
de la raza los poseyó en alto grado: orgullo, pasión, formalismo, valor, agilidad mental, culto al
decoro y al honor..., una españolía pagana, perfectamente inscrita en el marco de la latinidad.
Y su obra entera rezuma compenetración con la
lengua, el paisaje, el arte y el quehacer patrios.

El suyo es ciertamente un amor agridulce, heredero del amargo de los noventayochistas; pero entrañable y verdadero. Anhelaba una España magnánima, alegre, rica, intelectualmente creadora y a la altura de los tiempos. En Ortega la consigna europeizadora de Costa no es extranjerización, sino españolización de la ciencia y elevación de nuestro nivel cultural hasta el de los pueblos que marchaban en la vanguardia de la civilización. «Cuando postulamos la europeización de España —escribe— no queremos otra cosa que la obtención de una nueva forma de cultura distinta de la francesa, la alemana... Queremos la interpretación española del mundo» [81]. Aspiraba, pues, a una transformación profunda, y ésta es la causa de que su patriotismo derivara hacia la pedagogía nacional, que es la vertiente política auténticamente tentadora para un filósofo. A los pueblos se les reforma desde el Poder, porque sólo «la política lo penetra todo; en definitiva, lo decide todo» [82]. Fueron la sensibilidad para lo vernáculo y el instinto magistral los que le llevaron a la acción

---

[81] *Obras Completas,* vol. I, pág. 138.
[82] *Obras,* pág. 1370.

pública. Su justificación está conmovedoramente encerrada en este texto tan poco conocido como capital: «Yo, señores, soy un pobre hombre, con muchas menos pretensiones de las que algunos suponen; simplemente un pequeño ser, que ha ligado siempre su microscópico destino individual al ancho, macroscópico destino de su raza, y por eso, cuando ve que España va a cometer un error, o, por el contrario, que puede hacer algo grande, arrostra el ser tachado de pretencioso y, abandonando su habitual oscuridad, da al viento la poca cosa de su voz» [83]. Sus llamamientos no siempre fueron certeros; pero los inspiraron el patriotismo y el desinterés.

---

[83] *Obras*, pág. 1388.

V. EL PENSADOR

I. El problema de la sistematización

Ortega es un estilista; pero también, y en no menor medida, un pensador. Casi toda su problemática es estrictamente ideológica; alguno de sus libros es temáticamente ontológico; su erudición es primordialmente intelectual; su disciplina profesoral fue metafísica; y el propósito final de su vida especulativa fue acometer una «reforma radical de la filosofía»[84]. Sólo un espíritu cicatero podría negar a José Ortega y Gasset el alto título de filósofo. Y entonces tendría que retirárselo a Nietzsche, a Kierkegaard..., lo que le lleva-

---

[84] *Obras Completas*, vol. III, pág. 200.

ría a diezmar los cuadros de la filosofía universal. Ortega es, sin duda, uno de los pensadoras españoles más eminentes, y figura entre los que tienen derecho a entrar en la historia de la filosofía occidental. Como ha escrito uno de sus más exigentes y adversos críticos, el eximio teólogo Santiago Ramírez: «Yo creo que Ortega es, por lo menos, de una talla intelectual tan grande como Dilthey y Heidegger» [85].

Pero Ortega no es un pensador sistemático como lo fueron Tomás de Aquino o Manuel Kant. La mayor parte de su ideario está expuesta desordenadamente en artículos y ensayos ocasionales y dispersos. Incluso sus libros más excepcionalmente coherentes no tienen la interna trabazón de los tratados clásicos. La unidad de la obra orteguiana viene dada más por yuxtaposición que por encadenamiento. Es más, una parte muy considerable de los escritos de Ortega no parecen ni mínimamente conectados con sus ideas filosóficas torales, unas veces por razón de la materia, otras por sus contradicciones tácitas expresas. Todo

---

[85] RAMÍREZ, Santiago, *La filosofía de Ortega y Gasset.* Editorial Herder, Barcelona, 1958, pág. 196.

este mundo de disquisiciones sueltas, en su mayoría de gran belleza, hay que tenerlo en cuenta; pero hay que dejarlo entre paréntesis a la hora de una sistematización. De él podría decirse como de la obra de Voltaire que es «un caos de cosas claras» [86]. Esta es la razón de que muchos hayan sentenciado adustamente como Nicol: «teoría, en Ortega, propiamente no la hay» [87]. Que Ortega es formalmente asistemático no puede ponerse en duda. El problema surge cuando nos preguntamos si bajo la externa dispersión ideológica palpita un tácito sistema subyacente. Yo creo que sí, por dos razones: la primera es que en Ortega hay un reconocimiento explícito del imperativo filosófico de sistematización: «la ciencia... tiene que ser siempre *Summa*» [88], «la voluntad de sistema es lo específico de la inspiración filosófica» [89]. Y esta convicción íntima y profunda tuvo que condicionar su actividad meditadora. La segunda razón

---

[86] FAGUET, Emile, *Le dix-huitième siècle*, Paris, s. a., página 226.

[87] NICOL, Eduardo, *Historicismo y existencialismo*, México, 1959, pág. 331.

[88] *Prólogo*, pág. 28.

[89] *Op. cit.*, pág. 35.

consiste en que, como creo demostrar en estas páginas, cabe articular los textos orteguianos en torno a la intuición focal de la vida y responder con ellos a las interrogaciones magnas de un programa filosófico. En Ortega no hay, pues, un sistema explícito, y todo intento de sistematización obliga a una reconstrucción y recreación y, por tanto, a una interpretación personal. No ya su estética, sino su metafísica ha de ser rastreada a lo largo de millares de páginas y luego recompuesta a partir de unos cuantos fragmentos aislados de sus contextos, y separados, a veces, por decenios entre sí. El método exegético que la obra de Ortega impone al expositor no es muy diferente del que requieren los presocráticos. El margen de cuestionabilidad de cualquier síntesis del pensamiento orteguiano es *ab origine* considerabilísimo. Pero esta problematicidad se agrava si se tiene en cuenta que la imprecisión terminológica es habitual en Ortega. Su propósito de amplia difusión le hace evitar los tecnicismos filosóficos, es decir, el necesario esoterismo de toda ciencia. Su desdén hacia el escolasticismo y el idealismo, por ejemplo, le impiden apropiarse de su acabado léxico; y como

Ortega no llegó a elaborar toda una nomenclatura
original, sus expresiones suelen ser informales,
cuando no intencionadamente metafóricas. Hasta
la denominación de la noción clave es titubeante,
mudable y plural: ¿razón vital, histórica o viviente? Para acabar de hacer espinoso todo empeño de síntesis, acontece que una parte de la docencia orteguiana fue, según dicen algunos de sus más
allegados, verbal y, por ello, voladera y huidiza.

Quizá por estas razones han sido contadísimos
los que han osado sistematizar las doctrinas de
Ortega. El más familiar de sus discípulos, J. Marías, acaba de iniciar la empresa, aunque con poca
fortuna [90]. Otros, incluso más perspicaces y obje-

---

[90] La primera edición de este libro se redactó antes de
publicarse el libro de J. MARÍAS, *Ortega. Circunstancia y
vocación*, Madrid, 1960. Su lectura no me ha sugerido, al
hacer la segunda, ninguna revisión ni adición. A pesar de
la voluminosidad de la obra se trata de una simple introducción a tomos subsiguientes en preparación, y me temo
mucho que los árboles no dejen ver el bosque. Pertenece
al género apologético, pero es menos encomiástico que las
páginas sobre Ortega escritas por el autor en vida del maestro. El punto de partida es inesperado: el orteguismo es una
filosofía «nuestra», es decir, de Ortega y de Marías, y el
propósito final es habérselas con «el Ortega que pudo ser»
(págs. 26 y 27). Se presenta, pues, esta obra más como una

tivos, como Gaos, Nicol y García Bacca, se han limitado a breves estudios de carácter introductorio y provisional. El mismo Ferrater Mora, experto en la exposición didáctica, no ha pasado en su opúsculo sobre Ortega de «atenerse a lo esencial» [91] y no ha rebasado el ámbito de las aproximaciones y de las sugerencias. Sólo Ramírez ha intentado la empresa de reducir a sistema filosófico cabal, es decir, a esquema de soluciones a los problemas capitales de la Lógica, la Metafísica, la Teodicea y la Etica, la vasta y polifacética obra de Ortega y Gasset. El fruto de este ímprobo y audaz esfuerzo ha dado lugar a enconadas, aunque tangenciales polémicas. Casi huelga decir que, independientes del pensamiento estrictamente filosófico o peligrosamente adheridas a él, hay en Ortega historiología y crítica de la cultura en cantidad abrumadoramente superior. Es más: yo estimo que la veracidad y la eficacia del pensamiento orteguiano crecen a medida que éste se aleja del

---

recreación, adivinación y complemento de Ortega que como una exposición objetiva y crítica de su pensamiento expreso.

[91] FERRATER MORA, José, *Ortega y Gasset. Etapas de una filosofía,* Barcelona, 1958, pág. 21.

epicentro metafísico. Pero ello no exime de la necesidad de exponer primariamente en Ortega lo que es más noble por razón de la materia y lo que, por definición, le sitúa sobre los simples culturalistas y sociólogos que tanto abundaron en su tiempo, es decir, la filosofía.

Cuestión previa es la de averiguar si en el pensamiento de Ortega hay un proceso unitario como en Descartes, o plural como en Schelling, en cuyo caso habría que determinar cómo se relacionan los diferentes períodos entre sí. José Gaos [92] distingue el conceptualismo circunstancialista en torno a 1914, el biologismo raciovitalista hacia 1921 y el biografismo raciohistoricista posterior a 1924. En cambio, Ferrater Mora [93] aisla el objetivismo (1902-1914), el perspectivismo (1914-1923) y el raciovitalismo (1924-1956). Nicol señala el vitalismo nietszcheano, el biologismo, el raciohistoricismo y el historicismo ontológico, respectivamente inspirados por Nietszche, Bergson, Dilthey y Heidegger [94]. Las tres cronologías se complementan

---

[92] *Op. cit.*, pág. 77.
[93] *Op. cit.*, págs. 18 a 20.
[94] *Op. cit.*, págs. 312 y siguientes.

puesto que Gaos no califica las mocedades y, en cambio, subdivide y matiza la etapa de madurez. Peinando estas tres clasificaciones tendríamos el objetivismo (1902-1914), el perspectivismo (1914-1921), el raciovitalismo (1921-1924) y el raciohistoricismo (1924-1955). El interés del primer estadio es fundamentalmente anecdótico; el del segundo, etiológico, y los últimos constituyen dos momentos evolutivos de una intuición única. La plenitud filosófica de Ortega está, pues, entre *El tema de nuestro tiempo* y *La idea de principio en Leibniz*. La sustancial univocidad doctrinal de este período es clara, y fuera no queda ningún título capital, sólo páginas embrionarias o adjetivas. Todo lo que no sea partir de esta real y básica unidad ideológica de madurez sería forzar las gradaciones y conduciría no a un precipitado sistemático de la obra orteguiana, sino a varios, tantos como fisuras abriésemos en la biografía íntima de Ortega. Y entonces, tres o cuatro hitos serían pocos para darnos la trayectoria completa, la historia de la formación del pensamiento orteguiano, la novela de su conciencia de meditador. Quien crea en la sola eficacia de este puntillista y tardígrado método narrativo ha de renunciar a que le expliquen y quintaesencien, ha de leer a Ortega de cabo a rabo y tratar de comprenderlo por sí.

2. EL MÉTODO

«Todos los filósofos son hombres de método, pero no todos exponen el suyo» [95], escribe Ortega, quizá pensando en sí mismo. En una época en que la metodología ocupa, como en Husserl, el primer plano de la filosofía, Ortega no se manifiesta demasiado explícito respecto a su modo de hallar la verdad. Su técnica expositiva favorita es la afirmación pura, monda de demostraciones adyacentes. La usó desde el principio: «Estas *Meditaciones*... no son filosofía, que es ciencia. Son simplemente unos ensayos. Y el ensayo es la ciencia, menos la prueba explícita» [96]. Esta tendencia a escamotear los caminos de su pensamiento hace especialmente difícil deducir su fórmula metodológica. Algunas declaraciones ayudan, sin

[95] *La idea de principio en Leibniz,* pág. 252.
[96] *Obras Completas,* vol. I, pág. 318.

embargo, a centrar la cuestión. A Ortega no le convence el procedimiento deductivo, y a criticarlo, singularmente en su versión aristotélica, consagra sus páginas más serias y profesorales: «la deducción es corta de resuello» [97]. Tampoco el intuicionismo en su forma más moderna y depurada satisface a Ortega: «La actitud fenomenológica —escribe— es estrictamente lo contrario de la actitud que llamo *razón vital*» [98]. Efectivamente, la reducción eidética implica la desvitalización absoluta de la realidad, y nada podía ser menos caro a Ortega. Pero tampoco el salto inductivo es la buena fórmula, y Ortega la caricaturiza en términos poco piadosos: «Es un razonamiento analógico, típicamente dialéctico. Su resultado es un *dictum de omni:* todo lo que es locuaz es bípedo» [99]. Y una simple ojeada a la voluminosa producción orteguiana demuestra que los abstractos y esqueléticos métodos semióticos producían verdadero horror al voluptuoso, cálido

---

[97] *La idea de principio en Leibniz,* pág. 183.
[98] *Obras Completas,* vol. V, pág. 540. «Abandoné la Fenomenología en el momento mismo de recibirla» *(La idea de principio en Leibniz,* pág. 333).
[99] *La idea de principio en Leibniz,* pág. 195.

vitalismo orteguiano. La lógica matemática se ha compadecido siempre mal con el estilo poético.

La filosofía «no acepta más método de conocimiento teórico que el racional, pero cree forzoso situar en el centro del sistema ideológico el problema de la vida, que es el problema mismo del sujeto pensador» [100]. Este método es precisamente la «razón histórica» o «razón vital». ¿En qué consiste esta revolucionaria y prometedora hermenéutica? Los textos son escasos y poco comunicativos, y algo análogo acontece con los ejemplos, porque Ortega no utiliza su método de modo expreso y deliberado hasta 1942, o sea, hasta que en las postrimerías de su vida trata de definir una idea seductora, pero metafísicamente tan trivial, como la de la caza. Esta fue, según el máximo apologista de Ortega, «la primera galopada de la razón vital» [101]. El ensayo general del nuevo método se hace, pues, cuando casi todos los libros orteguianos están ya escritos, y en el principal de los póstumos apenas se le iba a poner a prueba.

La clave está en una identificación rotunda:

---

[100] *Obras Completas,* vol. III, pág. 272.
[101] J. MARÍAS, *Op. cit.,* pág. 214.

La «razón narrativa, es la razón histórica» [102], «la *razón* consiste en una narración. Frente a la razón pura físico-matemática hay, pues, una razón narrativa. Para comprender algo humano, personal o colectivo, es preciso contar una historia. Esto hombre, esta nación, hace tal cosa y es así *porque* antes hizo tal otra y fue de tal otro modo. La vida sólo se vuelve un poco transparente ante la *razón histórica*» [103], que es «literalmente *lo que al hombre le ha pasado*» [104], y que «no acepta nada como mero hecho, sino que... *ve* cómo se hace el hecho» [105]. En suma: «La razón histórica, que no consiste en inducir ni en deducir, sino lisamente en narrar, es la única capaz de entender las realidades humanas, porque la contextura de éstas es *ser* históricas, es *historicidad*» [106]. El método orteguiano consiste, pues, en una «radical *historización*» [107]. El secreto consiste en colocar

[102] *Obras Completas,* vol. VI, pág. 106.

[103] *Obras Completas,* vol. VI, pág. 40.

[104] *Obras Completas,* vol. VI, pág. 49.

[105] *Obras Completas,* vol. VI, pág. 50.

[106] *Una interpretación de la Historia Universal,* páginas 131-32.

[107] *Obras Completas,* vol. V, pág. 534.

todo en el tiempo. Por eso una de sus técnicas favoritas es la de hacer patentes los conceptos mediante una disección etimológica de los vocablos cuyas raíces han ido reteniendo el humus de los siglos. Algunas de las páginas más felices y características de Ortega, como el análisis de las nociones de «experiencia» [108] o de «hígado» [109] son maravillosos apuntes de lingüística comparada. Esto es lo que le lleva a afirmar que «la razón semántica es el prototipo estricto de la razón histórica» [110]. Y que «etimología es el nombre concreto de lo que más abstractamente suelo llamar *razón histórica*» [111]. Pero, evidentemente, en el ánimo de Ortega su descubrimiento metódico es mucho más que una sistemática exégesis etimologizante, de fecundidad bien conocida y muy limitada porque son demasiadas las realidades que no se hacen patentes mediante un simple análisis de sus nombres; es una generalización de una técnica especialmente depurada por los filólogos. En

---

[108] *La idea de principio en Leibniz*, págs. 190 y sigs.

[109] *Una interpretación de la Historia Universal*, págs. 122 y siguientes.

[110] *La idea de principio en Leibniz*, pág. 191.

[111] *El hombre y la gente*, pág. 242.

15

la terminología orteguiana, la «etimología no es cosa exclusiva ni siquiera peculiar de las palabras, sino que todos los actos humanos la tienen»[112]. De ahí su fórmula: el hombre es el animal etimológico.

La metodología raciohistoricista consiste en una temporalización de la dialéctica, prácticamente en una aplicación constante del método histórico a la investigación filosófica. Las posibilidades de utilización son restringidas porque la razón narrativa no sólo se detiene ante la raya infranqueable de la prehistoria, sino que adolece de la debilidad de tener que avanzar sobre algo tan falible y parcial como los testimonios. Por añadidura, su objeto propio son los hechos, es decir, lo temporal; no se puede dar razón histórica de lo absoluto y ucrónico, de cuanto, como la ecuación de la elipse, vale independientemente de su pasado. Pero es indudable que el raciohistoricismo aporta esclarecimientos sustanciales y, junto a los métodos tradicionales, da una nueva dimensión al empeño especulativo.

---

[112] *Op. cit.*, pág. 241.

Si la traducción gramatical del método deductivo es el silogismo, la del raciovitalismo es la descripción. Por eso el instrumento predilecto es la metáfora, ese artilugio que, más o menos ilusoriamente, permite escapar por un instante a la tiranía de los universales y apresar lo que parece más indómito. «Es la metáfora un suplemento a nuestro brazo intelectivo, y representa, en lógica, la caña de pescar o el fusil» [113]. Para Ortega, la metáfora es «la potencia más fértil que el hombre posee» [114], «es un instrumento mental imprescindible, es una forma del pensamiento científico» [115]. De la metafórica y cristiana alusión al mundo como valle de lágrimas llega a decir que es «la única definición que toleran las realidadas últimas» [116]. La obra orteguiana es una de las más ricas reservas de tropos que existen en la lengua castellana. La maestría retórica de Ortega alcanza en este punto niveles máximos. Usa las metáforas no sólo como elementos decorativos o esti-

_____

[113] *Obras Completas*, vol. II, pág. 383.
[114] *Obras Completas*, vol. III, pág. 372.
[115] *Obras Completas*, vol. II, pág. 379.
[116] *Una interpretación de la Historia Universal*, pág. 322.

lísticamente estimulantes, sino definitorios. Apenas
hay una noción capital que no vaya cabalgando
rauda y vagorosa sobre refulgentes imágenes. Ortega define la vida, que es la realidad radical,
como «un arco que une el mundo y yo», «un
flúido rebelde», «un naufragio», «un drama»...
et sic de caeteris. Incluso se detiene a metaforizar
sobre la propia metáfora cuando la invoca como
«la célula bella» [117]. Estamos ante uno de los flan-
cos más guarnecidos, pero más febles de la metodología orteguiana.

Desde que Aristóteles dijo que «cuanto se dice
en metáforas es oscuro» [118], la filosofía ha desechado los tropos, abandonándolos en las manos
estremecidas, pero inexactas, de los poetas. Una
excepción insigne fue Bergson, que, en su vitalismo lógico, rayano en las lindes nominalistas, hizo
la primera apología moderna de las imágenes
como formas de expresión científica. Y, sin embargo, suyo es el juicio: «La métaphore ne va
jamais bien loin, pas plus que la courbe ne se

---

[117] *Obras Completas,* vol. VI, pág. 257.
[118] ARISTÓTELES, *Tópicos,* 139 b. 34.

laisse longtemps confondre avec sa tangente»[119].
Ortega se esforzó en hacer una teoría de la metáfora y como suprema réplica a dos largos mi-
lenios de objeciones afirmó: «Toda la lengua es
metáfora, o dicho en mejor forma: toda lengua
está en continuo proceso de metaforización»[120].
Pero no es así. Toda lengua es, ciertamente, una
forma simbólica, y la historia semántica demuestra que constantemente los sentidos propios de los
vocablos se forman mediante la consolidación y
vulgarización de imágenes; pero cuando la metáfora se convierte en tópico deja de ser tropo. Ortega, en esta ocasión, exagera, es decir, incurre en
un defecto muy característico de casi toda su obra.
Las metáforas tienen una función constitutivamente deformante, publicitaria y magnificadora
de la realidad, y cuando no las utiliza, el deseo de
vitalizar los vocablos gastados y grises le arrastra
ineluctablemente a la exageración. Pero la defi-
ciencia más peligrosa y subrepticia de las metáfo-

---

[119] BERGSON, Henri, *L'évolution créatrice,* 36 ed. París,
1930, pág. 232.
[120] *La idea de principio en Leibniz,* pág. 345.

ras es su carácter de escapatoria y subterfugio. Con imágenes se capotea pero no se va derechamente al toro de la realidad. Se las usa muy eficazmente para eludir un compromiso conceptual o para disfrazar un pensamiento apenas apuntado. Una metáfora es en filosofía un regate efectista, una huida que no compromete irremisiblemente el honor. Lo excepcionalmente grave es que Ortega lo sabía: «La metáfora escamotea un objeto enmascarándolo con otro, y no tendría sentido si no viéramos bajo ella un instinto que induce al hombre a evitar realidades» [121]. Este sesgo elusivo del método orteguiano explica el constante aplazamiento del abordaje a los grandes temas. El supremo rango estético de las metáforas es inconcuso, su valor expresivo e intelectivo es, en ocasiones, insustituíble, pero su irreductibilidad a toda manipulación posterior, su margen de ambigüedad, de elisión y de anfibología, y su potencia hiperbólica son tan considerables que su utilización sistemática resulta, desde el punto de vista científico, de una peligrosidad temeraria. Por eso las metáforas

---

[121] *Obras Completas*, vol. III, pág. 373.

son una de las grandezas y, a la vez, una de las miserias del pensamiento orteguiano.

Pero «no siendo el método una ciencia, no hay que probarlo con razones, sino con obtenciones, con resultados y logros» [122]. Veámoslos.

3. EL FILOSOFAR

En la obra de Ortega hay dos interpretaciones, no ya distintas, sino formalmente contradictorias del filosofar. En una, la filosofía se nos presenta como necesidad; en la otra, como sustitutivo. La primera parece brotar de los supuestos vitalistas de Ortega: La «filosofía o interpretación de nuestra vida será aguda o roma, elemental o sabionda, espontánea o pedante; pero lo que no puede negarse es que el hombre, quiera o no, la ejercita. No puede vivir sin interpretar su situación, sin filosofar. De aquí que..., quieran o no, todos son filósofos» [123]. Por eso «la filosofía es consustancial con la vida humana» [124]. En suma, «haber

[122] *La idea de principio en Leibniz,* pág. 304.
[123] *Obras completas,* vol. V, pág. 466.
[124] *Obras Completas,* vol, IV, pág. 404 nota.

filosofía en el mundo significa, sin remedio, existir en el mundo, tácito o sonoro, este grito: ¡El ser viviente que no es filósofo es un bruto!» [125]. La segunda interpretación, que es cronológicamente posterior, arranca de la aplicación del método histórico. Haciendo memoria, Ortega se encuentra con que «la filosofía es una ocupación a que el hombre se sintió forzado desde el siglo IV antes de Jesucristo» [126]. Este hecho obliga a reconocer «que no podemos ver en la filosofía una ocupación ingénita o connatural al hombre» [127]. Primero se vive, y luego se hace filosofía; pero ¿en qué momento se efectúa ese tránsito mental? Según Ortega, que en este punto, como en tantos otros sigue literalmente a Nietzsche [128], «la filosofía sólo puede brotar cuando han acontecido estos dos hechos: que el hombre ha perdido una fe tradicional y ha ganado una nueva fe en un nuevo poder

---

[125] *Obras Completas,* vol. V, pág. 537.

[126] *Obras Completas,* vol. VI, pág. 406.

[127] *La idea de principio en Leibniz,* pág. 322.

[128] «Cuando el hombre deja de conocer, entonces empieza a creer... Cuando se tiene la fe puede prescindirse de la verdad» (NIETZSCHE, Federico, *Der Wille zur Macht,* ed. Bianquis, § 562).

de que se descubre poseedor: el poder de los conceptos o razón» [129]. La filosofía, es, pues, el suplente de tradiciones periclitadas, es un revolucionario empezar de nuevo, un llevar el vacío que dejan los mitos volatilizados: «es ortopedia de la creencia fracturada» [130]. Esta oscilación entre dos hipótesis tan dispares impide a Ortega pronunciarse sobre el carácter utilitario y penoso, o grato y suntuario del filosofar. «No es una diversión ni un gusto» [131], escribe tajantemente en 1942; pero cinco años después nos sorprende con esta declaración antípoda: «El modo más normal de existir la filosofía—no hay por qué incriminarlo—es el de ser una afición, una ocupación felicitaria, que encanta a muchos hombres» [132]. Y lo felicitario es, para Ortega, no un trabajo en vista de un rendimiento, sino un esfuerzo hecho libérrimamente y por pura complacencia [133].

La contradicción existente entre la interpretación vitalista y la historicista sólo puede salvarse

---

[129] *La idea de principio en Leibniz*, pág. 323.
[130] *Op. cit.*, pág. 313.
[131] *Obras Completas*, vol. VI, pág. 406.
[132] *La idea de principio en Leibniz*, pág. 313.
[133] *Obras Completas*, vol. VI, pág. 429.

si en la primera, la del filosofar como necesidad, se entiende la filosofía en un sentido alto de simple saber a qué atenerse, lo que abrazaría la opinión y la ciencia, el tópico y la tesis, la creencia y la idea, lo recibido y lo ganado. En cambio, en la segunda interpretación, la filosofía habría de entenderse en su acepción más estricta de saber crítico y auténtico. Pero aun explicando esta paradoja inicial, que obliga a dar dos significaciones orteguianas para el término «filosofía», subsisten dificultades profundas e insalvables. La filosofía no puede ser consustancial con el vivir si se parte, como lo hace Ortega, del evolucionismo biológico. Y tampoco puede serlo con el vivir humano si se niega que el hombre sea una sustancia y se afirma su carencia de naturaleza. Tampoco el testimonio de la historia confirma el carácter subsidiario de la filosofía. Ahí está el escolasticismo, que Ortega califica del esfuerzo intelectual más «serio y continuado» de la historia de Occidente [134] y que, como es demasiado sabido, floreció en los siglos más acusadamente teológicos del pasado europeo.

---

[134] *La idea de principio en Leibniz*, pág. 240.

La filosofía no es necesariamente un sustitutivo
de la fe, sino su complemento, puesto que la filosofía ha surgido en múltiples ocasiones como au-
xiliar de la teología, y es un hecho individual y
social absolutamente inconcuso que la especulación pura ha convivido y convive fraternalmente
con los dogmas. Y ahí están para confirmarlo desde el hinduísmo al islamismo, pasando por el cristianismo, todas las grandes religiones de la Humanidad. Todavía más imposibles de concordar
resultan las opiniones orteguianas respecto al carácter placentero o angustioso del filosofar. Históricamente tan cierto es lo uno como lo orto; Aris-
tipo no era menos filósofo que Kierkegaard. La
cuestión es importante para un pensamiento
esencialista; pero lo es mucho más para el raciohistoricismo. La justificación del hecho filósofico es,
pues, una de las menos sólidas de la riquísima obra
orteguiana.

4. LA LÓGICA

La primera vez que Ortega adopta una posición
frontal ante la lógica como un todo es en 1942.

Lo hace con una declaración breve y gratuita, pero revolucionaria y solemne: «Otra masa ocultadora del auténtico Pensamiento es la Lógica. En ella la ocultación consiste en una esquematización. La lógica suplanta la infinita morfología del Pensamiento por una sola de sus formas: el pensamiento *lógico*... Pero he aquí que hoy empezamos a caer en la cuenta de que no hay tal pensamiento lógico. Mientras bastó la tosca teoría que desde hace veintitrés siglos se llama lógica, pudo vivirse en la susodicha ilusión. Pero... se ha descubierto, con espanto, que no hay concepto última y rigorosamente idéntico, que no hay juicio del que se pueda asegurar que no implica contradicción, que hay juicios los cuales no son ni verdaderos ni falsos, que hay verdades de las cuales se puede demostrar que son indemostrables, por tanto, que hay verdades ilógicas...; la Lógica de Aristóteles es tan irreal—y por análogas razones—como la *República* de Platón»[135]. Esta larga cita contiene todo lo esencial de la lógica orteguiana, en rigor, de su antilógica, porque no llegó a formular ca-

---

[135] *Obras Completas,* vol. V, págs. 523-24.

balmente la propia. Su gran libro póstumo *La idea de principio en Leibniz,* en el que expresamente se evita todo problema ontológico [136], es una agudísima y audaz interpretación de la evolución de la teoría deductiva, con especial consideración de tres «modos de pensar» [137]: el aristotélico-tomista, el algebraico de Vieta y el cartesiano. Este último, y su desembocadura en Leibniz, no fueron objeto de un tratamiento completo. Ortega sólo dejó acabada su crítica de Aristóteles, Euclides y los escolásticos. La exposición de los griegos, guiada por Zeller y Prantl, está hecha sobre los textos con riqueza y rigor, aunque en alguna ocasión capital la interpretación sea caricaturizante. En cambio, el conocimiento orteguiano de la escolástica es notoriamente insuficiente y apenas se aproxima al mínimo requerido para una crítica tan demoledora y total como la que se intenta. Es sorprendente que las 445 páginas de la *Idea de principio* sean menos atrevidas y tajantes que la media docena consagrada a la lógica en el ensayo *Apuntes sobre el pensamiento,* antes cita-

---

[136] *La idea de principio en Leibniz,* pág. 170.
[137] *Op. cit.,* pág. 28.

do. Diríase que la meditación reposada ha hecho a Ortega más circunspecto. Y prueba de ello es que, mediado el libro, y en el capítulo culminante, declare con inesperada cautela: «En nada de lo que antecede se trataba de discutir si es o no verdad el principio de contradicción» [138], es decir, se manifiesta menos explícito que un lustro atrás.

La crítica orteguiana consiste fundamentalmente en desmontar los primeros principios y las definiciones que son los fundamentos de la formulación aristotélico-tomista de la teoría deductiva. «El pensamiento con que se piensan las proposiciones primeras no razona, es irracional por tanto y cuando menos, ilógico» [139]. Los lógicos clásicos nos las presentan como evidentes; pero «la *evidencia* del principio de contradicción no tiene nada que ver con las exigencias de una teoría pura. Pertenece a los *idola fori* e *idola tribus*... No es una teoría inteligible, es una institución tradicional, un modo de la *ciudad* o colectividad..., un *arcano inteligible* fundado en ciertas toscas experiencias intelectuales... La *evidencia* no es un fe-

---

[138] *Op. cit.*, pág. 227.
[139] *Op. cit.*, pág. 112.

238

nómeno noético» [140]. «La averiguación de los principios es faena del pensar dialéctico apoyado en la sensación... Es enorme que los principios del pensar exacto provengan de un pensar inexacto como es el dialéctico. La dialéctica es el reino de la inducción, es decir, la experiencia y la analogía» [141]. Similar es la crítica orteguiana de los conceptos y definiciones: «La definición es principio para el silogismo, para el raciocinio. Es, pues, el principio para la deducción, que es pura operación lógica. Pero ella misma—la definición— no es obtenida por medios lógicos...; se obtiene por inducción. Y ¿qué es esto?... Es un razonamiento analógico, típicamente dialéctico» [142]. En suma, «llegamos, pues, al concepto y al principio sin que intervengan más que estas tres actividades mentales: la sensación-imaginación, la atención-desatención y la comparación» [143]. De todo esto Ortega concluye que Aristóteles cae en «el sensualismo, que su concepto es más bien una sen-

[140] *Op. cit.*, págs. 233-34.
[141] *Op. cit.*, pág. 189.
[142] *Op. cit.*, págs. 194-95.
[143] *Op. cit.*, pág. 173.

sación inductivamente generalizada» [144], y que los conceptos escolásticos son también «mero resultado de la humilde observación experimental» [145]. Su crítica se reduce, pues, a la eterna cuestión epistemológica: ¿cómo se pasa de lo individual y concreto a lo abstracto y universal? Ortega, como tantos otros, se obstina en no comprender la teoría aristotélico-tomista del conocimiento y repite trilladísimas objeciones; pero, a diferencia de sus ilustres predecesores, no explica ni cuáles son sus reglas del pensar, ni la relación que guardan con la realidad, ni cómo se forman las nociones universales que utiliza. Su alusión epidérmica y fugitiva a los llamados «conceptos ocasionales» [146] apenas roza el fondo de la cuestión. En una de sus obras más maduras declara noblemente la insalvable aporía lógica en que se apoya todo su raciovitalismo: «De lo archiconcreto estamos hablando abstractamente y en general. Esta es la paradoja constitutiva de la *teoría* de la vida. Esta vida es la de cada cual; pero su teoría es, como toda teo-

---

[144] *Op. cit.*, pág. 232.
[145] *Op. cit.*, pág. 198.
[146] *Obras Completas*, vol. VI, pág. 35.

ría, general» [147]. Efectivamente, al contrario de lo
que se debía esperar, la simple lectura de la obra
orteguiana lleva a la conclusión de que su lógica
tácita es la tradicional, y sus modos de conceptua-
ción favoritos la intuición y la inducción, es decir,
los que a su juicio, constituyen, precisamente, el
talón de Aquiles del esquema clásico. Pese a todas
las diatribas antiaristotélicas y antiescolásticas, el
raciovitalismo está forjado con universales. Pero
ello no es extraño: Ortega reconocía que «no *podemos,* ni, claro está, debemos tomar nuestras
ideas, tomar la teoría completamente en serio» [148].

5. LA METAFÍSICA

La metafísica orteguiana nace del heroico propósito de superar el realismo y el idealismo, sistemas que, según Ortega, se reducen a identificar
el ser con las cosas y con la subjetividad, respectivamente. El ser, para Ortega, no es ni lo uno

---

[147] *El hombre y la gente,* pág. 117.
[148] *La idea de principio en Leibniz,* pág. 354.

ni lo otro; «ser significa vivir» [149] y «vivir es estar *yo*, el yo de cada cual, en la *circunstancia*» [150]. Estas dos nociones son los factores, o si se quiere usar una imagen menos comprometedora, los goznes en que gira la vida. Ortega define el yo como «proyecto» [151] y la circunstancia, inspirándose en la *Umwelt* de Uexküll, como un «puro sistema de facilidades y dificultades» [152]. Hay un texto sintético que describe esta tensión entre dos focos que es la vida: «La pretensión o programa que somos oprime con su peculiar perfil ese mundo en torno, y éste responde a esa presión aceptándola o resistiéndola, es decir, facilitando nuestra pretensión en unos puntos y dificultándola en otros» [153]. En suma, «yo soy yo y mi circunstan-

---

[149] Citado por IRIARTE, *Ortega y Gasset, su persona y su doctrina*. Madrid, 1942, pág. 100.

[150] *Obras Completas*, vol. V, pág. 24. Los subrayados son míos.

[151] *Obras Completas*, vol. IV, pág. 400.

[152] *Obras Completas*, vol. V, pág. 335. Idem, pág 463. El mismo reconoce su inspiración: «...ampliando al orden filosófico las ideas biológicas de von Uexküll» (*Prólogo para alemanes*, ed. cit., pág. 77).

[153] *Loc. cit.*

cia» [154], fórmula que no hay que entender literalmente (1 = 1 + X), lo que sería contradictorio, sino metafóricamente, en el sentido de que la vida es bipolar, «es, de cierto, tratar con el mundo» [155]. Ortega concluye afirmando que la vida es «actualidad» [156], «peculiaridad, cambio, desarrollo» [157], y «la realidad radical, en el sentido de que a ella tenemos que referir todas las demás, ya que las demás realidades, efectivas o presuntas, tienen de uno u otro modo que aparecer en ella» [158].

Si se analiza este apretado esquema, que, dentro de su concisión, trata de reflejar con la mayor fidelidad posible la teoría orteguiana de la vida, se comprueba que la pretendida superación del realismo y del idealismo es, por desgracia, simplemente declarativa. Dejando a un lado lo que hay de caricatura de ambos sistemas y de falta de matización de sus formas moderadas, en la solución orteguiana subsiste, larvado, el dualismo entre sujeto y objeto, entre yo y mundo. Porque si el yo

[154] *Obras Completas,* vol. VI, pág. 349.
[155] *Obras Completas,* vol. II, pág. 601.
[156] *Obras Completas,* vol. VI, pág. 350.
[157] *Obras Completas,* vol. III, pág. 198.
[158] *Obras Completas,* vol. VI, pág. 13.

es un proyecto distinto del contorno sobre el cual va a realizarse, hay que suponerle una entidad diferente de la circunstancia, algo parecido a una voluntad. Y si el mundo es un repertorio de facilidades y dificultades, ello quiere decir que nos encontramos frente a obstáculos o instrumentos. Y que las circunstancias sean lo uno o lo otro no sólo dependerá de lo que pretenda el yo, sino también de lo que ellas sean en sí mismas. Esto último obliga a admitir la existencia de un no yo exterior con características—esencias—propias. Hay, pues, de un lado, un proyecto y una vocación, y del otro, unas dificultades y unas facilidades, todo lo interdependientes que se quiera, pero realmente distintos. La teoría orteguiana de la vida supone necesariamente dos realidades—viviente y medio— en cuya relación se constituye la vida. Y aunque Ortega afirma que ha superado este viejísimo dualismo, lo cierto es que no lo logra. Por eso no se sostiene la tesis de la radicalidad de la vida. La afirmación de que todo ha de hacerse presente en ella, o significa «fuera de mi vida nada existe», lo que sería puro solipsismo idealista, o equivale a «fuera de mí nada existe en mí», lo que es una simple tautología que deja intactos todos los problemas ontológicos. Aun sin llegar a lo trascendente, hay algo anterior y más radical que nuestra conciencia de la vida, los actos vitales concretos, el yo—el proyecto de Ortega—y el mundo.

Ortega no describe exhaustivamente cuál sea la estructura última de ese puro dinamismo móvil que es el vivir, acaso porque dé por buena la metafísica del devenir fundada por Heráclito y cuya genial formulación moderna debemos a Bergson. Pero extremando su entendimiento no eleático del ser, Ortega llega a sostener que «el hombre no tiene naturaleza—nada en él es invariable. En vez de naturaleza tiene historia, que es lo que no tiene ninguna otra criatura» [159]. Y fiel a este historicismo, añade que «el hombre no tiene esa supuesta *naturaleza,* ni, por tanto, ese instrumental nativo que sea suficiente, de que y con que pueda vivir. La razón no es una dote. Ni la tiene de suyo el hombre, ni siquiera la tiene todavía. A fuerza de fuerzas, en ensayos milenarios, se ha forjado a sí mismo el hombre un comienzo de racionalidad,

---

[159] *Obras Completas,* vol. V, pág. 491.

pero nada más» [160]. La negación de toda naturaleza al hombre es algo que Ortega toma de Dilthey, olvidándose de que es contradictorio con su propia tesis de que el yo es un programa y de que «el hombre no puede tener más que *una vida* auténtica, la reclamada por su vocación» [161], y «si las estimaciones de la época en que vivimos pugnan con el tipo de hombre que hemos de ser, nuestra existencia se malogra» [162]. La Historia se encarga de ponernos de manifiesto la eventual inautenticidad, es decir, la frustración de una vocación. Todo ello implica necesariamente algo anterior y previo al primer capítulo de cada biografía, algo dado en el yo antes de que empiece a escribir su propia novela, a crear su propia vida. ¿En dónde se insertan el proyecto vital y la vocación? Estos son, por lo menos, graves indicios de la existencia de una naturaleza en el hombre, testimonios de algo distinto y anterior a su historia. Por otro lado, tampoco es rigurosamente exacto que no haya una historia de los cuerpos celestes,

---

[160] *Obras Completas,* vol. V, pág. 493-94.
[161] *Obras Completas,* vol. IV, pág. 413.
[162] *Obras Completas,* vol. V, pág. 463.

de la tierra y de las especies zoológicas. Hay una historia de todo lo que se inscribe en el tiempo y no está sujeto a leyes; hay una historia de la libertad y del azar. Para hacer frente a esta última objeción. Ortega afirma que a diferencia de las cosas humanas, «el mundo físico tiene un pasado y tiene un futuro, pero no los contiene, no forman parte de él» [163]. Efectivamente, el hombre y la roca se inscriben de modo diferente en la Historia; pero no por la razón que aduce Ortega. El carbono radiactivo es uno de los innúmeros ingredientes históricos del mundo físico.

La negación de una naturaleza humana obliga a Ortega a explicar la razón como adquisición progresiva y laboriosa. Ello supone el evolucionismo —«nuestros primos los monos» [164], «el semigorila inicial de que partimos» [165]—, y lo mismo que él, es una hipótesis no probada. En su inclemente crítica del racionalismo, Ortega se ensaña con las posiciones extremas, tiempo ha desmontadas, y al rechazar la definición del hombre como animal

---

[163] *Una interpretación de la Historia Universal*, pág. 121.
[164] *El hombre y la gente*, pág. 36.
[165] *Una interpretación de la Historia Universal*, pág. 254.

racional, confunde la razón como potencia o facultad, y el ejercicio de la misma. Este último es, sin duda, deficiente, problemático y progresivo; pero aquélla es algo dado y recibido para el hombre actual, y, lógicamente, también para el primitivo. Lo que enseña la experiencia es que nadie ha presenciado la conquista de la racionalidad por un ser vivo; todos hemos asistido, en cambio, al comienzo del uso de la razón.

En *El hombre y la gente*, Ortega emprende de modo intencionado y sistemático la determinación de la consistencia del contorno, circunstancia o mundo, y enuncia cuatro leyes estructurales, lo cual no excluye, expresamente, la existencia de otras. Las primeras se resumen en la observación de que en el mundo hay tres planos: «en primer término, la *cosa* que nos ocupa; en segundo, el *horizonte* a la vista, dentro del cual aparece, y en tercer término, *el más allá latente ahora*» [166]». La cuarta ley es que nuestro mundo, el de cada cual, «no es un *totum revolutum*, sino que está organizado en campos pragmáticos. Cada cosa pertenece

---

[166] *El hombre y la gente*, pág. 91.

a alguno o a algunos de esos campos donde articula su *ser para* con el de otros»[167]. Para la geometría euclídea, el número de planos es infinito, y para la experiencia es indeterminable. La triple esquematización de Ortega ha de entenderse, pues, metafóricamente. Esa condición poética de los supuestos primarios de la cosmología orteguiana es, probablemente, la razón de que nuestro filósofo no llegue a delimitar sus tres categorías básicas —cosa, horizonte y más allá—, y de que resulten extremadamente vagas y difusas las fronteras entre las dos últimas. Por otro lado, en su obra no se pone a contribución esta tricotomía, con lo que tampoco se confirma su utilidad metódica. La idea de los campos pragmáticos, que parece abrir anchuroso y solemne camino a toda una serie de categorías ontológicas, estrechamente ligadas a las morales, no pasa de ser una noción programática y apuntada. La teoría orteguiana del mundo es el capítulo menos elaborado de su metafísica, y, desde luego, no responde a las interrogantes verdaderamente primarias que plantea su pretensión inicial de superar el realismo y el idealismo.

---

[167] *Op. cit.,* pág. 107.

Lo que queda enhiesto del ambicioso propósito orteguiano es su crítica del racionalismo puro, de las cosmologías estáticas y del entendimiento angélico del hombre; y las descripciones nerviosas y sugerentes del signo fugitivo y apremiante de la vida, y de su carácter dialogal, combativo y angustioso. Pero el basamento cede: nuestra vida no es la realidad radical, sino la realidad huidiza; mientras ella pasa, se consume y se extingue, una buena parte del mundo permanece. Vivir es trágico porque no somos, como supone Ortega, el solar donde se instala toda realidad, sino efímeros se-movientes en tierra extraña; no somos radicantes del universo, sino que nuestra vida está radicada en él, y transcurre o discurre sobre él hasta «desfallescer», como en las coplas inmarcesibles de Jorge Manrique.

6. La teodicea

La teodicea de Ortega es mínima. La mayoría de las alusiones al tema de Dios son históricas y no suponen una personal toma de posición ante lo absoluto. En su inmensa obra apenas se logra espigar una docena de textos de clara afirmación teológica. Ortega admite—con rotundidad, en un solo lugar—la existencia de Dios, «esa realidad, la más importante de todas» [168], y, en una ocasión única, hace suya la clásica prueba *a posteriori* cuando, glosando equivocadamente a Kant, escribe que el cielo nos señala «la existencia gigante del Universo, de sus leyes, de sus profundidades y de la ausente presencia de alguien, de algún Ser prepotente que lo ha calculado, creado, ordenado, aderezado» [169]. Pero acerca de la naturaleza de Dios y de sus atributos sus precisiones son tan ambiguas como insuficientes. He aquí, citadas según una cronología editorial, sus más esclarecedoras definiciones: «Dios, en una palabra, es la cultura..., es lo mejor del hombre» [170], «es la perspectiva y la jerarquía» [171], «origen, padre y manadero de todas las cosas» [172], «no es sino el nombre que damos a la capacidad de hacerse cargo

---

[168] *Obras Completas,* vol. V, pág. 453.

[169] *El hombre y la gente,* pág. 95

[170] *Obras Completas,* vol. I, pág. 135.

[171] *Obras Completas,* vol. I, pág. 231.

[172] *Obras Completas,* vol. I, pág. 439.

de las cosas» [173]. «Dios también es un punto de vista..., es el símbolo del torrente vital..., Dios ve las cosas al través de los hombres, los hombres son los órganos visuales de la Divinidad» [174]. «Para Dios no hay un dentro ni un fuera, porque no vive» [175]. «Dios, un auténtico Dios, no tiene ser, consistencia estable y fija: es pura y absoluta voluntad, ilimitado albedrío» [176], «es lo completamente otro, lo formalmente distinto, lo absolutamente exótico» [177], el que «posee todo el saber» [178], «es infinito en actualidades» [179], «no tiene fronteras, límites, es ilimitado, infinito» [180]. «Hay que dejar a Dios quedo en la infinita amplitud de su albedrío» [181].

Estos son los parvos fragmentos con los que se ha de reconstruir la teodicea orteguiana, no más

[173] *Obras Completas*, vol. I, pág. 476.

[174] *Obras Completas*, vol. III, págs. 202 y 203.

[175] *Obras Completas*, vol. IV, pág. 426.

[176] *Obras Completas*, vol. V, pág. 531.

[177] Ortega y Gasset, José, *¿Qué es filosofía?* Ed. Revista de Occidente. Madrid, 1957, pág. 109.

[178] *El hombre y la gente*, pág. 48.

[179] *Una interpretación de la Historia Universal*, pág. 302.

[180] *Op. cit.*, pág. 313.

[181] *Op. cit.*, pág. 104.

que una microteodicea, ciertamente. Casi todos
tienen un común denominador vagamente panteísta. Sólo en uno de ellos se presenta a Dios como
causa del Universo y, por lo tanto, como algo
trascendente a él, aunque no expresamente personal. ¿Cabría, no obstante, concordarlos? Derrochando subjetivismo interpretativo, acaso sí; pero
no parece que la imperdonable frivolidad y el evidente desinterés teológicos de Ortega justifiquen
un esfuerzo tan arduo y arriesgado cuando sólo se
trata de exponer las grandes líneas de su pensamiento. En la filosofía orteguiana, a la teodicea
le acontece casi lo mismo que a su Dios: «su presencia está hecha de esencial ausencia» [182].

7. La ética

A pesar de que Ortega fue un «moralista» y
un pedagogo, es decir, un infatigable dador de
consejos sobre el modo de comportarse frente a
la realidad, es preciso levantar acta de que no
llegó a escribir no ya un tratado, sino ni siquiera
un ensayo temáticamente consagrado a la ética.

---

[182] *¿Qué es filosofía?*, pág. 129

Aquí y allá, desperdigados, aparecen en sus *Obras completas* párrafos en los que apunta una moral nonnata que requiere laboriosísima mayéutica. La tesis capital de la filosofía práctica de Ortega data de 1916: «El deber no es único y genérico. Cada cual traemos el nuestro inalienable y exclusivo... No midamos, pues, a cada cual sino consigo mismo: lo que es como realidad con lo que es como proyecto. *Llega a ser el que eres*. He ahí el justo imperativo» [183]. El ideal moral es la fidelidad a sí mismo, la congruencia de la propia vida con lo que Ortega llama «destino» [184], «vocación» [185] y «misión» [186]. La adecuación de cada trayectoria vital a su proyecto es la medida de su perfección o imperfección moral. «Toda maldad viene de una radical: no encajarse en el propio sino» [187]. Cada hombre nace con su ideal, su arquetipo, inscrito en su intimidad. Si no lo cumple «está fuera de su radical autenticidad» [188].

---

[183] *Obras Completas,* vol. II, pág. 37.
[184] *Obras Completas,* vol. IV, pág. 401.
[185] *Obras Completas,* vol. V, pág. 138.
[186] *Obras Completas,* vol. V, pág. 210.
[187] *Obras Completas,* vol. IV, pág. 79.
[188] *Obras Completas,* vol. IV, pág. 72.

La primera consecuencia de este autónomo imperativo de autenticidad personal es la condenación de las morales rígidas y dogmáticas: «Toda ética que ordene la reclusión perpetua de nuestro albedrío dentro de un sistema cerrado de valoraciones, es *ipso facto,* perversa» [189]. La segunda consecuencia es un sobrecogedor fatalismo: «el hombre cuya entelequia fuera ser ladrón *tiene* que serlo, aunque sus ideas morales se opongan a ello» [190]. La tercera es un acusado relativismo moral: «no hay dentro de lo humano ninguna forma de conducta que pueda considerarse, de modo último y absoluto, como superior a las demás..., no hay, por ejemplo, ni puede haber nada que sea absolutamente lo que nosotros llamamos hoy justicia y que mañana nos parecerá injusticia» [191]. No hay, pues, más precepto universal que el verso pindárico «llega a ser el que eres», los demás mandamientos varían según el destino de cada cual. Hay tantas morales concretas como tipos humanos; «lo

[189] *Obras Completas,* vol. I, pág. 316.
[190] *Obras Completas,* vol. IV, pág. 406.
[191] *Una interpretación de la Historia Universal,* páginas 332-33.

que es bueno en un hombre es malo en otro» [192].
Por eso confiesa Ortega sin reservas: «yo no pretendo que el burgués abandone su moral. Sólo
pediría que me deje a mí la mía» [193]. Subsiste, en
suma, una cierta estabilidad ética para cada individuo, pero considerado el orden moral como un
todo, es decir, como un sistema de normas válidas
para el género humano, la versatilidad es la nota
predominante. La bondad no es puramente ocasional, porque no depende de las circunstancias
sino del yo de cada uno; pero sí es varia porque
está condicionada por la individualidad incanjeable de los innumerables sujetos vitales. Ortega no
desarrolló sus postulados, no explica cómo cono-
cemos nuestra propia vocación, ni si hay tantas
como individuos, ni si se pueden agrupar en géneros. Su tesis de que «las formas todas de la vida
son limitadas» [194], no parece excluir la diversidad
de todas las biografías: «cada uno de nosotros
está siempre en peligro de no ser el *sí mismo*,

---

[192] *Obras Completas*, vol. II, pág. 409.
[193] *Obras Completas*, vol. II, pág. 408.
[194] *Una interpretación de la Historia Universal*, pág. 40.

único e intransferible que es» [195]. Por eso resulta, por lo menos, muy dudoso que quepa objetivar *a priori* el imperativo personal de autenticidad, que sea viable señalar indubitablemente al prójimo cómo debe configurar su propia vida. Lo que sí se puede es juzgar un vivir ya cumplido, la historia. Qué es lo mejor «sólo podrá decirlo *a posteriori* la razón histórica concreta. Esta es la gran averiguación que de ella esperamos, puesto que de ella esperamos la aclaración de la realidad humana, y con ello, de qué es lo bueno, qué es lo malo, qué es lo mejor, qué es lo peor» [196]. La valoración moral es, en definitiva, autónoma y retrospectiva, lo que relega considerablemente al ejemplo y al apostolado.

Esta individualización de la ética, que es una especie de inacabable casuística y de solipsismo práctico, irreductibles a un cabal tratamiento científico, no sólo escamotea al «otro», que es habitualmente el necesario contrapunto moral y, consecuentemente, jurídico, sino que conduce a la atomización de las normas y a la general subjetiva-

---

[195] *El hombre y la gente,* pág. 45.
[196] *Obras Completas,* vol. VI, pág. 41.

17

ción de los preceptos. Este es el previsible desenlace del postulado orteguiano de la autenticidad vocacional como fundamento de la ética.

En el planteamiento y en el desenlace de toda ética se encuentra la noción de felicidad. Es dichoso quien tiene colmados todos sus deseos, quien goza de cuantos bienes ansía. La gran aporía moral consiste, de un lado, en que la capacidad humana de desear es infinita, mientras que los bienes son limitados; y, por otro, en que a veces se desea vehementemente el mal. De ahí que la felicidad absoluta sea imposible, y que la práctica del bien constituya, en ocasiones, un sacrificio. De estas dos paradójicas experiencias cotidianas arranca la especulación ética universal, y la de Ortega no es una excepción. «El hombre—escribe—es un sistema de deseos imposibles en este mundo. Crear, pues, otro mundo del que pueda decir que es su mundo, la idea de un mundo coincidente con el deseo, es lo que se llama felicidad. El hombre se siente infeliz y, precisamente por ello, su destino es la felicidad. Ahora bien, no tiene otro instrumento para transformar este mundo en el mundo que puede ser suyo y con él coincidir que la técnica, y la física es la posibilidad de una técnica ilimitada. De donde tenemos que la física es el órgano de la felicidad humana» [197]. En este texto capital y maduro Ortega extrae las últimas consecuencias de su doctrina de la técnica y, como era de prever, desemboca en una posición hedonista. La física sería el instrumento de la felicidad si los deseos humanos fueran incoercibles y si no hubiera más bienestar que el sensitivo; pero ninguna de estas dos hipótesis se cumple. Los más fecundos veneros de gozo son espirituales, y muy ajenos, por tanto, a la termodinámica. Y desde los estoicos es una verdad incorporada a la ética occidental que ese equilibrio entre lo ansiado y lo poseído que es la felicidad, no sólo puede lograrse por la vía del enriquecimiento, sino también, y principalmente, por la de la resignación. El verdadero órgano de la felicidad no es tanto la física como la ascesis. Pero para Ortega esto último es, como él escribe caricaturescamente, «ser bodhisatva, es, en principio, no comer, no moverse, no sexualizar, no sentir placer, ni dolor, ser, en consecuencia, la

---

[197] *Una interpretación de la Historia Universal,* pág. 315.

negación viviente de la naturaleza» [198]. Así se despacha, sin el menor esfuerzo comprensivo, toda esa dimensión, la más sublime del hombre, que empieza en el dominio de sí mismo y llega hasta el martirio. Su vitalismo fundamental le lleva a predicar otros preceptos: «los placeres van a la carrera... ¡Bien: razón de más para galopar tras ellos!» [199]. Este hedonismo básico concuerda con su conclusión de que «la *vita beata* es un delicioso cuadrado redondo que el cristianismo propone, consciente de su imposibilidad» [200]. Estamos, pues, ante una teoría de la felicidad que renuncia a explicar las cuestiones éticas más hondas, y que se mueve, casi exclusivamente, en el plano de lo sensorial e intramundano.

Las virtudes orteguianas o, como él prefiere llamarlas, los imperativos vitales, son la sinceridad, la impetuosidad, el deleite [201] y la deportividad [202]. Son «virtudes creadoras, de grandes dimensiones,

---

[198] *Obras Completas*, vol. V, pág. 343.
[199] *Obras Completas*, vol. II, pág. 226.
[200] *Obras Completas*, vol. IV, pág. 53.
[201] *Obras Completas*, vol. III, pág. 171.
[202] *Obras Completas*, vol. II, pág. 350.

las virtudes magnánimas» [203]. Pero Ortega, fiel a su vitalismo metafísico y a su solipsismo ético, entiende la magnanimidad no como virtud referida a los demás, sino como el hábito de «producir obras de gran calibre» [204], con lo que, además, la confunde con la magnificencia en su sentido etimológico y aristotélico. Todo el deber ser orteguiano concluye en esta exaltación espléndida del esfuerzo, de la vida como poesía, es decir, como creación auténtica, poderosa, deportiva y felicitaria. Este es el flanco más hermoso y más positivo de su moral, nuclearmente voltaria y robinsoniana. Ortega, en su vida y en su obra, practicó, en mayor grado todavía de lo que le permitió su soma inseguro, las virtudes que propugnaba. La biografía de Ortega es, ciertamente, una entrega total, casi pródiga, de su excepcional capacidad a la alta vocación de crear.

8. La sociología

El libro más traducido de nuestro pensador, *La rebelión de las masas,* es un ensayo típicamente

---

[203] *Obras Completas,* vol. IV, pág. 606.
[204] *Obras Completas,* vol. III, pág. 605.

sociológico, y la mayor parte de las restantes páginas orteguianas son avanzadillas de un gran tratado de sociología que no llegó a concluir, y del que constituye un anticipado fragmentario el volumen póstumo *El hombre y la gente*. Estamos, pues, ante la disciplina predilecta de Ortega, la que por su amplitud e hibridismo le permite moverse con mayor desenvoltura, aquella en la cual tienen origen y desembocadura sus intuiciones vitalistas fundamentales. Hay, sin embargo, una franca desproporción entre el inmenso acervo de materiales sociológicos que contienen los escritos de Ortega, y las leyes articuladamente enunciadas, entre los escarceos o corolarios y las tesis básicas. Disponemos, no obstante, de un instrumento único, de una abreviatura hecha por el propio Ortega con fines didácticos para los oyentes bonaerenses de sus lecciones de teoría de la sociedad. Estas comprimidas y enjundiosas páginas facilitan extraordinariamente el acceso a un pensamiento sociológico que se extiende todo a lo largo y a lo ancho de la atomizada y aluvial obra del filósofo.

El punto de partida es la distinción entre lo individual, lo interindividual y lo social, con lo que se introduce un nuevo término en la división clásica, más exactamente, un término medio. La vida individual es personal y emana de un sujeto responsable y solitario, para el cual su comportamiento tiene un sentido inteligible [205]. Por el contrario, en la relación interindividual «siempre se trata de dos hombres frente a frente, cada uno de los cuales actúa desde su propia individualidad, es decir, por sí mismo, y en vista de sus propios fines. En esa acción o serie de acciones vive el uno frente al otro—sea en pro, sea en contra—y por eso en ella ambos conviven» [206]. En esta relación el perfil del prójimo se va concretando progresivamente: «Cuando tengo con el Otro trato íntimo, me es un individuo inconfundible con todos los demás, incanjeable. Es un individuo único. Dentro, pues, del ámbito de realidad vital o de convivencia que es el Nosotros, el Otro se ha convertido en Tú» [207], y «precisamente en esta lucha y choque con los *tús* voy descubriendo mis límites y mi figura con-

---

[205] *El hombre y la gente,* págs. 23-24.
[206] *Op. cit.,* pág. 215.
[207] *Op. cit.,* págs. 178-79.

creta de hombre, de *yo*» [208]. La relación con los demás es salida y exploración, pero al mismo tiempo autodescubrimiento y medida de las propias fuerzas. En los que nos rodean reconocemos nuestra huella y perfil. Ortega, que dedica más de la mitad de su libro *El hombre y la gente* a lo interindividual, denuncia airadamente el generalizado error de confundir esta relación con la social, cuando lo cierto es que, a su juicio, ambas se definen por contraste.

El tercer término son los comportamientos propiamente sociales que, «ni se originan en la persona o individuo ni éste los quiere ni es responsable de ellos, y con frecuencia ni siquiera los entiende». Son los usos, noción vertebral y cuidadosamente elaborada, capaz, por sí sola, de abrir a Ortega un hueco en la historia de la sociología universal. «La sociedad consiste primariamente en un repertorio de usos» [209] y estos se caracterizan por ser imposiciones mecánicas, irracionales y extraindividuales o impersonales [210], que tienen la

---

[208] *Op. cit.,* pág. 25.
[209] *Obras Completas,* vol. VI, pág. 37.
[210] *El hombre y la gente,* págs. 26 y 225.

virtud de permitir «la casi-convincencia con el des-
conocido» [211], de inyectar en el individuo «la herencia acumulada en el pasado... y darle resuelto
el programa de casi todo lo que tiene que hacer» [212]. Definida esta noción capital de los usos
urge averiguar quién es su actor o titular. La respuesta orteguiana pone al descubierto el plano más
sutil y recóndito, porque no basta con proclamar
casi tautológicamente que «los usos no son *de* los
individuos, sino de la sociedad» [213]. La fórmula
final es muy feliz: los usos son de la gente, esto
es, de «un yo irresponsable» [214], de «*todos* y, a la
vez, *nadie determinado*» [215]. De ahí que la práctica
de los usos sea, «lo humano inauténtico y el modo
deficiente—aunque ineludible—de ser hombre que
hay en toda persona» [216], es decir, una forma de
alteración y enajenación. Con esta identificación
de lo social y lo inauténtico enlaza Ortega su so-

[211] *Op. cit.*, pág. 27.
[212] *Op. cit.*, págs. 27-28.
[213] *Op. cit.*, pág. 233.
[214] *Obras Completas*, vol. V, pág. 74.
[215] *El hombre y la gente*, pág. 219. Vid. nota 225.
[216] *Obras Completas*, vol. VI, pág. 402, nota.

ciología con su metafísica y su ética de la vocación.

¿Cómo se forman los usos? Ortega, fiel a su convicción de que «sólo los individuos crean» [217] y poco amigo del romántico artificio metafísico del alma colectiva, sitúa valientemente el origen de los usos en el hombre ejemplar, capaz de mover a los demás a seguirle e imitarle. «A veces, un hombre, un hombre solo, con su aprobación, hace avanzar más la constitución de un uso que si es adoptado por un millón» [218]; es el auténtico aristócrata porque «no hay, ni ha habido jamás, otra *aristocracia* que la fundada en ese poder de atracción psíquica, especie de ley de gravitación espiritual que arrastra a los dóciles en pos de un modelo» [219]. La sociedad es, pues, una tensión entre minorías y masas, es, según la insuperable sentencia orteguiana: «la unidad dinámica espiritual que forman un ejemplar y sus dóciles» [220]. El proceso de formación de los usos es tan lento que nacen ya ancianos, sin

---

[217] *El hombre y la gente,* pág. 249.
[218] *Op. cit.,* pág. 248.
[219] *Obras Completas,* vol. III, pág. 105.
[220] *Obras Completas,* vol. III, pág. 106.

haber conocido la juventud. A veces transcurren siglos hasta que se generaliza e impone el gesto de un egregio. Por eso «lo social es pretérito, pasado disecado, momia..., es esencial anacronismo» [221].

Los usos, que son la configuración por excelencia de los hechos sociales, pueden ser débiles y difusos, como la lengua, los tópicos, las creencias y la opinión pública, o fuertes y rígidos como la economía, el Derecho y el Estado [222]. No es posible en esta quinta esencia, exponer las doctrinas orteguianas sobre cada uno de estos grandes temas. Destacan por su originalidad la diferenciación entre el decir y el hablar, la contraposición de las ideas a las creencias, el esclarecimiento de las opiniones reinantes con la noción instrumental de vigencia y la caracterización de la nación como «proyecto sugestivo de vida en común» [223].

El núcleo germinal de la sociología orteguiana es una teoría de los usos que arranca del gran

---

[221] *El hombre y la gente,* pág. 250. Idem, *Obras Completas,* vol. IV, pág. 235, y vol. VI, pág. 38.

[222] *El hombre y la gente,* pág. 253.

[223] *Obras Completas,* vol. III, pág. 63.

Durkheim [224], cuya obra frecuentó Ortega asiduamente y al que, contrariando su hábito de no citar fuentes, mencionó en varias ocasiones, aunque cuidando de subrayar lo que más le separaba del gran sociólogo francés, concretamente, el concepto de lo interindividual y la tesis de la irracionalidad de los usos. Pero éstos son, cabalmente, los dos lugares básicos menos seguros de la sociología orteguiana. En una relación interindividual o de convivencia de dos intimidades, como es el amor, ejemplo específico que aduce Ortega, pueden surgir también usos idiomáticos, expresivos, etc., que acaben imponiéndose mecánica y exteriormente a sus inventores y que concluyen perdiendo incluso para ellos todo sentido racional. Algo análogo cabría decir de ciertos códigos de señales pactados entre dos comunicantes. Hay, pues, usos, es decir, sociedad, en lo interindividual. Y, por ello, no está siempre clara, ni mucho menos, la original contraposición orteguiana entre lo interindividual y lo social. Tampoco la irracionalidad de los usos es inconcusa. El

---

[224] DURKHEIM, Emile, *Règles de la méthode sociologique*, 10.ª ed. París, 1947, pág. 5.

Derecho, por ejemplo, es intrínsecamente racional, y lo es también en la práctica para un inmenso número de los que viven de él y según él. Pero hay más; los usos aparentemente más irracionales como el idioma, no lo son necesariamente en sí-mismos—ahí están la filología y la etimología—, y los que lo utilizan, si no conocen el por qué de un vocablo, por ejemplo, sí saben lo que significa y lo usan con su cuenta y razón, es decir, para dar a entender algo determinado. Del mismo modo, el que se detiene ante el semáforo rojo, acaso ignore por qué se ha preferido este color a cualquier otro para simbolizar la negación y el peligro; pero conoce perfectamente el sentido de la prohibición que es el de regular el tráfico. La irracionalidad, ininteligibilidad o carencia de sentido no es una nota inherente a todos los usos.

Heidegger, que tan decisivamente influyó en la metafísica de Ortega, está muy presente también en su sociología. La noción orteguiana de «la gente» que es el sujeto de lo social y, por tanto, un concepto clave, coincide casi exactamente con el *Man* heideggeriano. La definición de Ortega, antes citada, es una traducción literal de un pasaje de *Sein und Zeit* [225]. Y algo análogo podría decirse de su identificación de lo social con lo inauténtico. La genética de los usos, en fin, está hecha bajo el signo de Gabriel Tarde. El par de nociones ejemplaridad-docilidad tiene su antecedente directo en el binomio invención-imitación que constituye la apoyatura de toda la sociología del eminente pensador francés [226]. Pero la versión orteguiana es más plástica y flexible y posee un matiz valorativo que la sitúa más allá del puro empirismo.

Para la elaboración de los supuestos básicos de la teoría orteguiana de la sociedad se han explotado inteligentemente y se han ennoblecido desde perspectivas metafísicas las más fecundas fuentes del pensamiento sociológico contemporáneo, aunando hallazgos muy distantes entre sí. La deducción básica más robusta y original es rotundamente conservadora: aunque los usos son la irresistible

---

[225] «Das Man, das kein bestimmtes ist und das Alle» (HEIDEGGER, *Sein und Zeit*, 3.ª ed. Halle, 1931, pág. 127). Ortega traduce literalmente: «¿Quién es la gente? Pues, todos y, a la vez, nadie determinado» (*El hombre y la gente*, página 219).

[226] TARDE, Gabriel, *Les lois de l'imitation*, París, 4.ª ed., 1903, y *La logique sociale*, 3.ª ed. París 1904, págs. 151 y sgs.

tentación que nos arrastra a la inautenticidad y a la irracionalidad, son también portadores de la tradición, del saber de la humanidad, de la experiencia de las generaciones y, por ello, nos permiten no sólo el progreso a partir de altos niveles dados, sino que al facilitarnos un repertorio de soluciones para la mayoría de las situaciones vitales, nos dejan concentrar nuestras posibilidades creadoras y alcanzar en un sector concreto, una más fiel autenticidad personal, una mayor condensación de razón. Este precipitado final, que es reactivo formidable para hacer una teoría de la tradición, es otra prueba que desde el fondo de la sociología orteguiana confirma el signo contrarrevolucionario de su obra.

VI. COLOFON

José Ortega y Gasset es el mejor de los escritores postnoventayochistas y el inspirador de la prosa didáctica actual. No es un clásico, sino un barroco, y por ello, un decadente, difícilmente imitable, pero con tanto derecho como Góngora o Quevedo para figurar entre los grandes de la lengua castellana. Su decisiva intervención en el derrocamiento de la Monarquía fue un infortunio nacional. Sus ideas políticas, de índole conservadora, no llegaron a germinar en la opinión pública: para la derecha eran conocidas o sospechosas, y para la izquierda, reaccionarias o abstrusas. Su filosofía, apoyada en la intuición de la vida como realidad radical, y pensada con un tenaz empeño de innovación y reforma, es principalmente un audaz programa, cuyas tesis fundamentales, a mi juicio erróneas, no han tenido completo desarrollo, ni prueba suficiente. La veracidad y utilidad del pensamiento orteguiano crecen en la medida en que se aleja de los supuestos metafísicos esenciales. Su sociología, aunque sólo parcialmente original, no tiene par en España, y contiene aportaciones universalmente valiosas. Sus hallazgos ideológicos menores son abundantísimos y serían innumerables si la constante preocupación orteguiana de contradecir los tópicos, no le indujera a error, porque de ordinario, los tópicos son verdad. La contribución más importante de Ortega a la cultura es la movilización de la vida intelectual hispánica. Alertó a millones de lectores con nombres nuevos, casi siempre germanos, con temas vivos, con técnicas sugestivas. Su asistematismo y su aversión a los tecnicismos terminológicos de la filosofía le impidieron ser auténticamente riguroso; no obstante, enseñó el rigor con la eficacia de quien sabía manipular las ideas, y dominaba genialmente el arte de la expresión. Su vida estuvo formalizada acatólicamente y éste es el signo que preside también su pensamiento, despectivo, a veces, hacia la religión; pero exento de rencor jacobino. Su palmaria heterodoxia no tiene, sin embargo, en mi opinión, una peligrosidad que imponga una interdicción universal. Ortega fue una de esas mentes privilegiadas y fecundas, que aparecen muy de tarde en tarde, y que se consagran con independencia y constancia al estudio y a la creación. Fue el máximo pensador hispano de la primera mitad del siglo xx, y uno de los más eximios de su época.

¿Cabe llegar a esta conclusión cuando se cree, y ese es mi caso, que los fundamentos filosóficos del pensamiento orteguiano son erróneos? Desvanezcamos esta duda aunque sea evidente que sólo puede surgir en un espíritu mínimamente familiarizado con la vida especulativa. La historia entera de la filosofía está cuajada de elogios a meditadores, cuyas tesis capitales se repudian. Es más: difícilmente podrá citarse un sólo ejemplo de filósofo posterior al Renacimiento que no exalte el nombre de algún colega del que discrepa radicalmente. Hoy, por ejemplo, no hay ningún notorio platónico en sentido estricto, y, sin embargo, ¿quién negaría la excelsa condición del testamentario espiritual de Sócrates? ¿Desde cuándo hace falta ser idealista para reconocer el genio de Hegel, o evolucionista para admitir el de Bergson? Si sólo se pudiera proclamar el talento de aquellos cuyas doctrinas íntegramente suscribimos, no ya la historia de la filosofía, sino una buena parte de la del espíritu humano tendría que reducirse a una implacable matanza o hecatombe de prestigios. Por fortuna no es así. La discrepancia es perfectamente compatible con la admiración y el error con el talento. El propio Ortega, que declara a Dilthey el filósofo más eminente de la segunda mitad del siglo xix, proclama «que apenas hay nada en Dilthey que se pueda formalmente aprovechar» [227]. Porque se es un pensador eximio cuando se aborda una problemática tan última y compleja como la filosofía, se la comprende y actualiza, y se propone y razona un esquema de soluciones inéditas, armónicas, inteligentes y a la altura del tiempo.

---

[227] *Obras Completas,* vol. VI, pág. 175.

Esto es lo que, salvadas todas las distancias, han realizado desde Tales a Ortega unos cuantos hombres eminentes, y el hecho de que sus soluciones sean contradictorias entre sí, y por ello falsas en su mayoría, no impide proclamarles como espíritus egregios, unas veces porque han ocupado o colonizado una parcela de verdad, otras porque han recorrido y descubierto un sendero sin salida, y en el peor, casi inimaginable de los casos, porque al menos han probado una portentosa, aunque malograda, capacidad mental. Incluso sobre los errores filosóficos se ha ido perfilando trabajosamente la verdad, y con las parcialidades se va recomponiendo una visión más cabal de las realidades últimas. En el alto plano de la teoría es muy frecuente que la historia de las dudas sea la vía dolorosa de las certidumbres, y esta conclusión no sólo es válida para los historicistas que, como Ortega, creen que «toda filosofía es constitutivamente un error», y que «la filosofía es historia de la filosofía y viceversa» [228], sino para quienes creemos que hay sistemas, el aristotélico singularmen-

---

[228] *Obras Completas*, vol. VI, págs. 418 y 419.

te, más próximos que otros a la verdad absoluta.

Para ser, como Menéndez Pelayo, un «jefe espiritual» [229], le faltaron firmeza y rotundidad en sus convicciones y, sobre todo, una *Weltanschauung* inédita o renovada; pero completa y capaz de dar a sus discípulos una base segura, estimulante y universal para la vida. Tuvo genio, autoridad, dedicación, saber enciclopédico, y una postura innovadora; pero el suave escepticismo, la movilidad de perspectivas, la reserva de las fuentes, el criticismo irónico, el yoísmo acentuado, la prodigalidad en cuestiones marginales o futiles y las inhibiciones o aplazamientos ante tantos temas capitales, le acercan más al tipo de gran agitador intelectual como Feijóo o Unamuno, que al de jefe espiritual como Lulio o Menéndez Pelayo. Por eso su nombre no se ha convertido en el símbolo de una concepción del mundo animadora de minorías y multitudes, y es triste que, a veces, lo utilicen como escudo, para sus pequeños afa-

[229] «En la España de los últimos tiempos—escribe Francisco ROMERO—no ha habido sino dos jefes espirituales: Menéndez y Pelayo y Ortega» (*Ortega y Gasset y el problema de la jefatura espiritual*, Buenos Aires, 1960, págs. 41 y 42).

nes, parásitos o masoretas que, con justicia, sólo
merecieron de Ortega desdeñoso silencio.

A la evolución estilística de Ortega correspon-
de una importante evolución en la actitud mental.
«No hay más remedio que irse acercando cada vez
más a la filosofía, a la filosofía en el sentido más
riguroso de la palabra» [230]. Y, efectivamente, los
libros de Ortega van siendo cada vez más técnicos
y severos. Esto es lo que hace escribir a Eduardo
Nicol que «Ortega aspiró a ser otra cosa, además
de lo que era» [231]. Juzgada en sí misma la obra
de Ortega es magna, pero valorada desde sus propósitos más ambiciosos y últimos constituye una
frustración. Ortega, además de todo lo muchísimo
que fue, hubiera querido ser lo que sus amigos y,
sobre todo, sus enemigos, le exigían unánimemen-
te: un metafísico original, sistemático y riguroso. En todo hombre verdaderamente grande hay el
empeño de perfeccionamiento y superación; pero
en Ortega lo que separa el logro del propósito no
es sólo cuantitativo, sino cualitativo también. Ello

---

[230] *Obras Completas,* vol. III, pág. 270.
[231] NICOL, Eduardo, *El problema de la filosofía hispánica,*
Madrid, 1961, pág. 143.

explica la veta de amargura que en la última etapa
de la vida orteguiana enturbia su optimismo pro-
gramático. Es la convicción de una vocación no
cumplida plenariamente.

Al iniciar su periplo intelectual, Ortega se dictó
un ambicioso y belicoso dilema: «O se hace literatura o se hace precisión o se calla uno» [232]; pero
luego no fue leal a esta disyuntiva. Su vida fue un
tenaz y denodado esfuerzo por compatibilizar la
poesía y la metafísica, por deleitar filosofando. El
fondo y la forma son en Ortega acaso más insepa-
rables que en ningún otro escritor didáctico. Por
eso su género literario—el artículo—y su estilo—la
metáfora—constituyen la exacta medida de su gá-
libo conceptual. De ahí que acaso no puede esta-
blecerse nunca si en Ortega predomina el literato
o el ideólogo. Y este es el angustioso nudo dramático de su biografía y de su obra, el que las hace
constitutivamente problemáticas, polémicas y, quizá, por ventura incitadoras a perpetuidad.

Yo sé que este juicio mío ha brotado de un temple proclive a Ortega por simpatía estética, por

---

[232] *Obras Completas,* vol. I, pág. 113.

devoción juvenil, por afectos familiares, por cote-
rraneidad y por contemporaneidad. Ignoro si a
medida que la distancia me permita una más cabal
reducción fenomenológica, seré más severo con el
filósofo. Quizá sí; pero es terriblemente difícil sa-
lirse del aquí y del ahora, e instalarse en lo absoluto. Sólo me consta que no lo he conseguido:
estas líneas se han escrito cuando apenas ha trans-
currido un lustro desde la muerte de Ortega, un
ayer para la Historia. Reconozco que mi juicio
está, pues, limitado por unas coordenadas personales y espacio-temporales muy visibles. Pero lo
doy a las prensas porque ésta no es grave objeción contra una glosa de la filosofía del yo y de
la circunstancia.

EPILOGO: ORTEGA Y EL 98

Cuando en 1902 José Ortega y Gasset, que apenas cuenta diecinueve años, abandona, recién licenciado, las sombrías aulas de la Universidad madrileña, y publica, expectante y ambicioso, su primer artículo, el viento predominante en el ámbito intelectual hispano es el espíritu del 98, que le envuelve irremisiblemente. Sin él Ortega resulta, no ya inexplicable, sino un imposible histórico. Esas reacciones iniciales que luego condicionan nuestro futuro son en Ortega tácitas aceptaciones del planteamiento noventayochista El joven universitario quiere ser hombre de letras; pero entonces esa profesión tan de moda y tan cotizada significa de un lado, voluntad de estilo y de verdad, tensión entre el idioma y la filosofía; y del otro, pertenencia a la minoría dirigente y, por ello, conflicto entre la teoría y la política, entre el saber y el poder. Toda la vida de Ortega es un sincero y denodado esfuerzo por superar estos agónicos dilemas. O rigor o literatura, o el ente o la república, se propondrá sinceramente a sí mismo; pero no aparecen en su biografía opciones definitivas. Así es como el noventayochismo se convierte para Ortega en tara unas veces y en estímulo otras; pero siempre en cauce de su caudaloso vivir.

En el 98 la tensión acaba por resolverse a favor del esteticismo; en Ortega, en cambio, se impone severamente el *logos*. Es cierto que crea un clima romántico, labra prodigiosas metáforas y consigue una admirable prosa, nutrida de las dos grandes corrientes estilísticas finiseculares; pero forja o maneja más conceptos que todos los noventayochistas juntos. Logra resistir la tentación de la novela y del verso, y se esfuerza por rebasar los cómodos patrones del ensayo y por escribir auténticos libros. Cae a veces en la frivolidad y en la bagatela; pero, de ordinario, huye de la improvisación y de la ligereza, se sirve de una selecta y rica bibliografía, se eleva por encima de lo anecdótico y local, y aborda problemas de rango filosófico. Y, aunque con dificultad, en el fondo de su obra se adivinan las grandes líneas de un sistema tácito. Con relación al 98, Ortega significa un considerable avance hacia la veracidad, la exactitud y la universalidad, es decir, hacia la ciencia.

Tampoco pasó de largo Ortega por la otra gran encrucijada noventayochista: o la acción o la meditación. La política ocupó un espacio importante de su vida; hubo períodos en que alternó ágilmente el aula y la biblioteca con la tribuna y el escaño. Pero nunca se sintió a gusto en el tráfago del ágora. Sus íntimas preferencias se dirigían hacia lo teorético, y la coyuntura española colaboró instándole, por lo menos en dos ocasiones —1923 y 1936—, a reintegrarse a su gabinete de trabajo. Fracasó en la cosa pública y acabó prevaleciendo el escritor sobre el dirigente. He aquí dos coincidencias fundamentales con el espíritu noventayochista; pero en Ortega la acción política fue tácticamente más acabada, el programa más coherente, moderno y eficaz, y su retirada mucho menos involuntaria que la de los escritores del 98. Ortega no actuó como aprendiz de revolucionario, ni como anárquico individualista, sino interponiendo con prudencia y solemnidad el peso de su autoridad universitaria y social para agrupar prestigios, coordinar una acción múltiple en torno a instituciones culturales y políticas, y mejorar, conservando, lo mucho que él consideraba digno de salvar. Como en el 98, el punto de arranque fue la crítica de la restauración canovista y el patriotismo amargo; el método, un displicente antidemocratismo; y el ideal último, una europeización castiza. Pero pronto completó este esquema simplista y más bien retórico con una concepción de la sociedad y del Estado, con un auténtico descubrimiento de Europa, y con un sugestivo programa de reforma nacional. Incluso rozó las cuestiones relativas a la justicia social, increíblemente ignoradas a finales de siglo por la minoría escritora [233]. Rebasó, pues, fácil y ve-

---

[233] Me remito al libro inédito de J. L. Vázquez Dodero, *El pensamiento social de Maeztu,* cuya tesis es que los es-

lozmente el estadio noventayochista del negativismo nihilista, de la rebelde inadaptación y del re-
volucionarismo quimérico. Contrastada con el espíritu del 98, la idea orteguiana de la acción pública representa un importante progreso hacia la
tecnificación de la política. Quizá por eso resulte
mayor la responsabilidad de Ortega en el funesto
desenlace republicano de la Restauración.

Al margen de este bifronte planteamiento básico no es difícil seguir en Ortega la evolución de
las restantes tendencias noventayochistas, de carácter más o menos adyacente. El proceso de secularización se reanuda, y la mística heterodoxa
del 98 se convierte en ese frío teísmo orteguiano
que tanto recuerda al del positivismo francés, y
que implica, desde el punto de vista español,
una regresión religiosa. Ortega hereda intacto el
orgulloso yoísmo noventayochista, que eleva a la
categoría de olímpico desdén universal, y que
lleva hasta sus consecuencias finales en su egocéntrica metafísica. El aristocratismo del 98 se

critores noventayochistas, salvo don Ramiro, prácticamente
ignoraron el gran tema político de la época: la cuestión
social.

sublima en esa especie de gran pontificado de las letras y aun de la política que Ortega asume con rara naturalidad y apenas sin reservas. Ya no hay ni sombra de bohemia, ni vestigios de hipocondría, y sólo unas gotas de sano e inevitable aldeanismo celtibérico. La entrega a la realización de una obra no es mayor, pero sí más rigurosa que en el 98: Ortega, a pesar de que sus páginas son fruto de partos laboriosos, compite dignamente con sus más fáciles y prolíficos predecesores en la hispánica arena literaria. El espíritu del 98 crece en un clima de libertad; la obra de Ortega, no enteramente: etapas prolongadas de su vida discurren en ambientes incómodos, cuando no hostiles. Sólo en este punto resulta Ortega menos favorecido por unas circunstancias familiares y patrias que, en general, le fueron generosa y excepcionalmente propicias.

Ortega, que no es un noventayochista, está literaria, doctrinal y vitalmente condicionado por el espíritu del 98, y no se le puede desligar de él. En este sentido, Ortega es un eslabón perfectamente encadenado dentro de la historia española del espíritu. Pero es algo más

que una resultante; es, en gran medida, una superación de los planteamientos recibidos, y una de-
puración y enaltecimiento de buen número de las
tendencias heredades; es un salto eximio en la
carrera del *logos* entre nosotros. Hoy Ortega nos
parece un filósofo poeta; y, sin embargo, comparado con el espíritu del 98, significa una dictadura de orden, de rigor y de sistematismo,
una verdadera avalancha de razón pura. Todo
ello quiere decir, en suma, que Ortega ha dado un
poderoso impulso a ese largo proceso de racionali-
zación de la cultura española, que, en su momento, había contribuido a estimular el criticismo
noventayochista. Desde el nivel actual de las exigencias científicas patrias, la gesta orteguiana nos
parece ya insuficiente. Y esta insatisfacción y ansia de perfectibilidad es la mejor prueba de que
el esfuerzo de Ortega ha sido fecundo. Pero a esta
conclusión abierta y optimista no se llega con la
cejijunta y embobada beatería tan al uso, sino
con la ayuda de ese soberano principio vital de
la inteligencia que, además, libra al elogio de
cualquier bochornosa apariencia de lisonja : el
espíritu crítico.

INDICE

II. HACIA UN ORTEGA ESENCIAL

ESTE LIBRO SE TERMINÓ DE IMPRI-
MIR EN ARTES GRAFICAS BENZAL,
VIRTUDES, 7, MADRID, EL DÍA 10 DE
DICIEMBRE DE 1962